日本の若者よ立ち上がれ

熱血発明家魂

菊池製作所副社長
元東京工科大学教授
Ken Ichiryu
一柳 健

青志社

日本の若者よ立ち上がれ

熱血発明家魂

菊池製作所副社長
元東京工科大学教授
Ken Ichiryu
一柳 健

青志社

はじめに

熱情

平成五年に初の著書『電子油圧制御』を出してから、はや30年がたちました。その頃私は日立製作所を経て日立建機に在籍していましたが、その後東京工科大学教授に転じました。

10年間、学生を教える機会に恵まれた後、菊池製作所に奉職し、再び会社生活に戻りました。

これらの素晴らしい経験と、これまでの研究成果を凝縮したのがこの本です。タイトルは“日本の若者よ立ち上がれ、熱血発明家魂”としましたが、その意味は「今の若者がもたもたしていて頼りない、しっかりしてくれ」との意味ではありません。

もたもたしているのはむしろ今の大人です。若者の力を本当に引き出していない、むしろ殺しているのではないか、と思うのです。若者も遠慮しているところがありますから、遠慮せず大きな声を上げてください、そのために立ち上がってください、という意味でこのタイトルをつけたのです。

今の若者は大人に遠慮して、自分を殺し大人しくしているのではないか。情報の嵐のなかで受け身となり、自分の姿を見失っているのではないか。しかし本当は全身でぶつかって、新しいものを開発することで自己実現したいと思っているのではないか。もしそうなら立ち上がってくれ、という願いです。

私は実際に大学で教えてみて、今の日本の企業は能力のある学生を十分活用していない、若者の持つ本当の力を利用していない、とつくづく感じました。それは先輩である私どもが、学歴とか飾り物に惑わされ、人そのものを見ていないせいではないか。若者たちを生かす力と度量とを失っているせいではないか。現在のわが国の組織では、上司、先輩の言うことを聞いていれば居心地は良いですが、それでは日本は世界と肩を並べることはできません。既成事実に反発し、新しい分野を開拓しないと先はないのです。

私が日立に入社した頃は、創業者の小平浪平翁が草鞋姿で歩いておられた時代です。バンカラではあるものの、独創が強く求められる社風がありました。

当時、私の属していました日立研究所の第８部の北川部長(日立工業計器の開発者)は

「発明こそすべてだ。丸いものは四角に、四角いものは丸にせよ」

と言っておられたものです。

また、当時の日立のすごかったのは、私ども学卒に対して、上司は何も命令しなかったことです。したがって、すべて自分で考えて進むしかありません。むろん、責任をとるのも自分です。私は油圧を選んだのですが、これも自己責任でした。

ある時、当時の研究所長から「油圧なんて時代遅れのもの辞めたらどうか」と言われました。が、私は自信がありましたので、堂々と反論して続けました。辞めなくて本当に良かったと思います。たくさんの方が私に開発魂を教えてくださいましたが、中でも日立工場機械設計部(圧延機開発)の梶原技師長のことは忘れられません。

梶原技師長はよく私に質問してきて、それに対して教科書通り答えますと、「それがなんだどうしたらいいんだ」と常に反問してこられるのです。その都度私は困惑していたのですが、今思えば梶原技師長の真意は、「知識では駄目、知恵を出せ、さらに言えば自分で考えろ」という事だったと思います。

私が日立に奉職した昭和40年代は「ジャパンアズナンバーワン」と言われた頃で、アメリカに行ってもヨーロッパに行っても意気軒高でした。ドイツのゲッティンゲン大学に行きました時には、老教授から「日本は羨ましい、ドイツは占領政策で機械産業しか許されていないのに、日本は電子産業もでき隆々と発展している」と言われたことがあります。

実は、ドイツは第二次大戦時、ロケット打ち上げの電子技術では世界トップでした。英国は、「ドイツのロケットがロンドンに飛んでこないか」と戦々恐々としていました。

ところが終戦を迎えるや、米国とソ連はそのロケット技術を持ち出すと共に、ドイツに電子産業を禁じたのです。

そんなわけで、ドイツの電子産業は立ち遅れていたのですが、私が訪れてから半世紀、今やドイツの電子産業は復活しました。機械産業も世界トップの座にあり、日本の方がアップアップの状況にあります。「日本の若者よ立ち上がれ！」と叫ばざるを得ない状況です。

ところで、日立のような大企業では何をやるにしてもグループ企業となります。当時の日立建機は、安部技師長の指導で、世界で初めて油圧ショベルを開発し意気盛んでした。だが規模が小さかったので、何をやるにも外部の有力企業と連携する必要がありました。国内外の油圧メーカから鋳物屋さんまで一回りしないと何もできないというわけです。そうすると、自然、人脈が広がり面白い経験も増えていきます。研究者が設計、生産技術、営業マンたちと、一緒に世界を回ることも当たり前です。おかげでジョン・ディア(アメリカ)、フィアット(イタリア)ら、あらゆる所に遠征しました。

東京工科大学時代も多くの方々のご指導をいただきましたが、特に「油圧の神様」と言われた喜多先生の指導は忘れることができません。先生の開発されたFFCというラジアルピストンポンプ/モータの革新的なスタイルには本当にしびれました。

私どもの力不足でモノにすることが出来ませんでしたが、オリジナル設計のもので、ドイツ発祥の古典的油圧機械を凌ぐコンパクト構造です。月世界で活躍する建設機械に良いのではないか、と夢想しています。

工科大を退職後、かねて共同研究をしていました菊池製作所に卒業生5名を連れて再就職。「ものづくりメカトロ研究所」を作りました。私は無趣味で他にやることもないもので、喜んで新しい職場に着任したのです。それから15年有余が経過しましたが飽きもせずに会社に通っています。

中堅会社はぎりぎりのところで経営していますから厳しいですが、「個」が活躍できる分野が広いので、見方によっては面白いと思います。大手と異なり小さい集団ですので、より「人間力」が必要かもしれません。

小企業で研究する場合はスタッフがいませんので、基本的な知恵と開発力は大学に依存せざるを得ません。そのため菊池製作所は産学連携やSTART UP支援に力を入れたのです。それらがうまく回り出した結果、いろいろな分野の先生や開発者に多くお会いするチャンスが増えました。

先生方の支援もあり10有余のSTART UPを作ることができ、その成長を期待している所です。そこでの技術開発がうまく行くかどうかはテーマと人によります。

冷静な知恵も必要でしょうが、熱情によるところ大でないかと思っています。私の経験からしても、技術開発には熱情、情熱、熱心、熱血といった「熱」が必要だと思います。

今時、熱情なしにはビッグプロジェクトを組むことさえ難しいと思います。ホットチャンバー技術は弊社が10年前に導入した新しいアルミダイカスト技術ですが、技術的に難しく、相当な資金をつぎ込みましたが成果は少ない。いわゆる廃止プロジェクトの候補です。

しかし、難しいからといって止めるなら、どの仕事も必ず難しい時がきて止めることになる。「技術的に乗り越えてこそ、将来の利益が得られるから、新しい開発プロジェクトを進めよう」というのが私の考え方です。そもそも、熱情を込めなければ誰も賛同しないでしょう。

本書は、工科大時代と今の菊池製作所での事例を中心に書いています。すべて自身の関係したこと、実際に現場に行って歩いて見聞したことを書いています。

実名で登場していただいた方々の中には、あるいは迷惑だと感じる方がおられるかもしれません。その節はご容赦いただきたいと思います。

人生で一番楽しかった東京工科大学教師時代を一緒に過ごした多くの学生諸君、卒論生諸君にまず有難うと言いたいと思います。現在も同大工学部で機械工学特論を担当していますが、この講義録が今回の本の原案となりました。

菊池製作所の方々には15年有余にわたりお世話になっています。このように働く場所を得て、いろいろな方にお会いし活動が出来ることは、本当にありがたいことです。そうした機会を与えていただきました菊池社長に、深甚なる謝意を表します。

また、本書の出版にあたりお世話になったART和HEART株式会社の中城正一会長に謝意を表します。その他多くの方々のご支援を受けましたが、わけても編集から出版まで引き受けてくださった青志社の阿蘇品社長には、深く感謝いたします。

曲がりなりにも今までやってこられたのは、このように多くの方々が、私を助け、応援してくださったおかげです。ありがたいとしか言いようがありません。

最後に、私事になりますが、私はこれまで下垂体腺腫、大動脈血栓といった大きな病に数回倒れたのですが、妻，淑子の献身的支援で回復し仕事をすることが出来ました。

心から感謝しこの本を謹呈します。

一柳　健

令和５年4月1日

第2章

START UP 育成とイノベーション創造

第3章

いばらの道ホットチャンバー技術に挑戦

第4章
執念の電動バイク開発

第5章
福祉医療ロボット分野への取り組み

第6章
若者を魅了したパラレルリンク

第7章
若者の力を示した
3次元パラレルリンク式パイプベンダの開発

おわりに

序章

私の履歴書

高校入学まで

すでに戦雲立ち込める昭和11年、私は大阪の堺で生を享けました。一番古い記憶は大阪池田市の幼稚園で砂遊びをしたことと、担任の優しい先生について歩いたことです。小学校も池田市でしたが、現在と違い軍事訓練的、スパルタ式で厳しかったです。

1年の時、授業開始前に教室でわいわい騒いでいたら、6年生が回ってきて、怒られたあげく教室前にバケツを持って立たされた記憶があります。

今のような過保護の時代でなく、国のために死ぬことが理想とされた時代です。しかし一方で、「ぼんぼん遊びましょ」と友達が遊び誘ってくる良き時代でもありました。

戦争が激しくなると、大阪は空襲で危ないということで、母親の故郷・岐阜の本巣郡川内村に疎開しました。食うや食わずの生活で、少しばかりの米と芋の葉っぱと蔓（つる）の雑炊には、気持ちが悪くなったこともあります。

疎開先にはいじめもありましたが、私はどこ吹く風でした。むしろ、ますます横着になり、村の子供たちの間でガキ大将として君臨しました。

岐阜の冬は寒いうえ、冬になっても履くものがなく、雪の上をはだしで歩くような状態ではありました。しかし、柿畑の中にあった倉を改造した我が家の暮らしは楽しかった。親父がたまに買ってきてくれた『子供の科学』といった雑誌などは、本当に新鮮で面白かった記憶があります。

私のこのような逆境に強い負けん気の性格は、母親から受け継いだように思います。「不屈の武士」と言いますか、サムライの血が混じった雑草の魂があると自負しています。

終戦の夏、天皇陛下の詔書を聞いた後、私たち家族は岐阜市に移り住みました。「山の向こうは素晴らしい世界が待っている」と子供心に想像していましたが、予想は完全に外れました。

米軍の空襲で、岐阜市は完全に破壊されていたのです。私の通った本荘小学校は、子供の座る机もありませんでした。教科書は貧弱なガリ版刷りで、ところどころ墨で消してある「墨ぬり教科書」です。でも、そんな中でも子供たちはみな元気でした。

私も相変わらず腕白小僧で、毎日相撲をとり友達を投げ飛ばしては喜んでいました。

本荘中学校1年生の時、出しゃばりの性格丸出しで、生徒会長に立候補して当選しました。花壇を整備したり新聞を発行したりして、得意になっていたものです。

当時は正規の先生は少なく、代用教員といういわば復員してきたばかりの素人の先生が多かった。代用教員の先生方は、教え方がたどたどしく、我々腕白小僧の絶好の餌食でした。

私も「ピタゴラスの定理の説明がおかしい」といったいじわる質問をして、素人教師たちを困らせたものです。とはいっても、もちろんほとんどの先生はしっかりしておられました。

3年時に進路決定のための模擬試験が実施されました。私は1番か2番になると思っていました。ところが、33番だったのです。地道な勉強を怠ったツケが回ってきたのです。

「こんな順位とはなにごとか」――いい気になっていたものだから、大きな絶望感に襲われました。

今まで抱いていた、「学内1番」という誇りが音を立てて瓦解するのを経験しました。さらに、同級生たちは普通高校に行くというのに、「工業高校に行け」と親は言う。家計の事情です。

まさにダブルパンチでした。将来は新聞記者か弁護士か、あるいは代議士かと思っていましたが、そうした夢のプランがあえなくつぶれた一瞬でした。

工業高校時代（1952-55）

日本の高度成長が始まった時期、私は貧しくて普通高校に行けませんでした。理工系が特に好きでもなかったのに、兄の後を継いで工業高校に行かされました。木曽川近くの笠松にある岐阜工業高校です。空襲を逃れた校舎は戦前のままの堂々とした姿で、機械、電気、紡績、染色、建築、土木等の科がありました。兄もこの高校に通っていたのですが、彼は天下の秀才で、何をやっても器用。機械科をトップで卒業し、三菱重工神戸造船所に入社しました。それにひきかえ私は劣等生。もともと文系であるうえに、新聞記者か弁護士、代議士になりたいとの希望が挫折したので毎日が楽しくありませんでした。

先生は三菱重工名航の出身で、設計、実習は厳しく機械の話ばかりしていました。困ったのは製図実習です。うまく書けないと墨が落ちてしまうのですが、不器用なのでこれには困りました。やむを得ず友達に書いてもらったら、これがばれて大変なことになってしまったのです。「製図は機械の精神なのに、他の誰かにやらせるとは何事か」と、機械科の職員会議で問題となり、私を放校するとの強硬意見も出たそうです。しかし救いの神もあるもので、国語の先生がなだめてくださって事なきを得た由でした。後から事情を聞いて、冷や汗が流れたことを覚えています。

工作実習は本格的で、キュウポラ使用の鋳こみ、実際に砂型に湯を注ぐことまでやりました。スチームハンマによるヤットコ製作には参りました。いくらたたいても形にならない。その点、さすが鉄工所の息子は上手かったです。ちゃんと形にする。段車旋盤を使用した丸棒切削はまだしも、かんなによる木型づくりも大変でした。まるで大工さんのような仕事をやらせる。そんなこと、出来るわけがありません。はつり作業は単純に力一杯にチゼルをたたく。これはできたような記憶があります。

不器用な私にはつらい体験でしたが、機械の原点に触れることができました。自分は鉄工所の現場向きではないと判っていたので、学内でただ一人、受験勉強に励みました。励ましてくれる先生、仲間がいたので助かりましたが、不向きの作業に受験勉強と、当時の私はほとんどノイローゼだったと思います。しかし、これらの苦労と経験が、私を強くしてくれました。

大学時代(1956-59)

高校で自分の不器用さを思い知ったので、「頭を使うしかないか」と思い名古屋大学工学部に入りました。工業高校ゆえ受験情報は良く判らず、しゃにむに勉強するだけでしたが、結果として普通科に負けていなかったのです。

入学記念として兄から英語の辞書『OXFORD ENGLISH ENGLISH DICTIONARY』をいただきました。今もときどき眺めて感慨にふけっている、私の宝物です。

当時、大学施設は戦災で破壊されて復興されていませんでした。旧第8高等学校の跡地を使った八事キャンパスの校舎廊下は、穴があいていたり窓ガラスが割れていたりして、酷いものでした。実験設備も岐阜工業高校以下だったと思います。

卒論は大久保先生の弾性力学研究室で、手回しタイガー計算機による弾性力学の切り欠き部応力集中率の計算(KERB SPANNUNGS LEHRE)でした。卒論を書くときドイツ語の論文を眺めましたが、やっと教養課程での語学が役に立った気がしました。

“自動制御”の講義に新しい時代の息吹きを感じましたが、ロボットはまだ遠い存在だった時代でした。総じて大学の講義はエキサイテングでなく、勧められた大学院進学も魅力を感じませんでした。

大学の講義が退屈だったため、私は後に工科大の教授になった時、授業がエキサイテングになるよう工夫しました。まず、ものづくりの面白さを経験してもらい、その後理論学習すれば良いことにしたのです。学生たちの反応やその後の成長を見るにつけ、この方法は正解だったと実感しています。

とにかく、無理をして大学に入れてもらったことは、後から考えるに本当に良かったと思います。なんの芸もない不器用な人間が生きるには頭を使うしかない、先生は聞けば答えてくれるが自分の進路は自分で考え切り開くしかない。勉学よりももっと根本的なことを学ぶことができたのです。

考えてみればヨーロッパの古い大学も同じです。たまにガリレオとかニュートンのごとき有名な先生の講義を聞き、後は同学の士と散歩、議論し自分で何かを納得して去る。大学とはそうしたところです。学校しか知らない先生が、どうして技術を教えることが出来ようか。

しかし、大学は勉学のためだけでない、人生に役立つ何かが得られるところです。貧乏学生で山にはあまり行けなかったので“畳の上のスキー術”なる本を見せてもらいIMMER VORLAGE NIMMER RUCKLAGEなる言葉を教えられました。

「常に前傾姿勢、決して後傾姿勢になるな」というスキー用語です。これは私の人生の指針になりました。この言葉で自分を励まし、後に続く若者も励ましています。兄、友達とのアルプス山行きも楽しい思い出であり、槍岳山荘でウイスキーをあおり飛び上がったことも良い人生経験でした。

卒業後の進路を考え始めた頃、たまたま自宅にあった日立創業者の小平浪平翁の伝記が目に留まりました。その本には、小平翁が脚絆（きゃはん）（脚に巻く布）姿で山を歩く姿が載っていました。私はその姿に不思議と惹きつけられ、感動したのです。

多くの企業が海外提携で事業を進めている時に、日立が国産主義を標榜している姿にも共鳴。5名の仲間と一緒に日立へ入社することになったのです。

日立時代の総括（1959-1986）

1959年、憧れの日立製作所に入り日立研究所振動研究室に配属されました。君はエレベータの振動を担当せよ、とのこと。その頃の私は「大体、エレベータが振動するとは何のことか？」というレベルです。いきなり失望感を味わいました。

もっとかっこいいテーマをやりたかったのになんということだ、先生の反対を振りきって何のためにわざわざここまで来たのだ、と落胆しましたが、あとの祭りです。

結局、振動から油圧エレベータの方に転じることを決めたのですが、格別なにか言われるようなことはありませんでした。当時は学卒を誰かが指導するなんておこがましいとの雰囲気があり、上長からはなんの指示もなく、自分で勝手にやるしかなかったのです。入社したてから突き放されたので、何をやってよいか判らず工場のベンチで座り込む事もありました。

しかし、時は日立重電の勃興期だったので、有為な人材があふれ本当に楽しい時代であったことは確かです。私の“油圧化人生”のはじまりも、社内の仲間たちに触発されたことがきっかけです。

梶原利幸氏のご指導でフォースモータ型サーボ弁を開発し、日立独自の圧延機油圧圧下装置HYROP-Fも開発しました。

また日立国分工場の油圧GCBの開発にも協力し、油圧と名が付くものはなんでも手掛けました。当時私たちの研究室は、研究所中央からの指令が届かず、スポンサーと勝手気ままに研究していたのですが、とにかくサラリーマン的でなく面白かった。水戸工場エレベータ事業部に研究棟を作ってもらい、水戸工場に居候したので、“水戸愚連隊”と呼ばれたものです。

日研の機械部隊が機械研究所土浦に合併されることになり、我々もついに土浦に行くことになりました。そこでは日立土浦工場の油圧地震シュミレータにもチョツカイをだし、勢いあまって佐和工場ジーゼル噴射ポンプシステムの開発にも関係しました。

さらに、CIP装置を開発する目的で笠戸研究部から来られたバルジの専門家とも交流。超高圧ポンプを試作しましたが、これは失敗に終わりました。

当時は「産学連携」という概念はありませんでした。が、偶々(たまたま)つくば万博があり、早稲田大学加藤先生のご指導を得て2足歩行ロボット(早大WL-12)に参画しました。これは油圧駆動において、世界で初めて外部給電で自律2足歩行ロボットを実現したものです。

このロボット開発において、私は油圧システムと油圧サーボ弁を担当しました。当時は圧延機用フォースモータ型サーボ弁を開発し勢いに乗っていたので、この時もZERO LEAKのフォースモータサーボ弁の採用を主張し押し通しました。

普通ならば、安定した航空機に多用されるMOOG社のノズルフラッパ型小型サーボが採用されるところですが、中立位置の漏れが多いという欠点がありました。その点フォースモータは漏れが少なくて有利だが、なにせ小型です。さんざん苦労して作り上げたが数が多いこともあり、安定して動作させるのに苦労しました。

万博期間中は、必ず朝一番に火入れして、ウオーミングアップする必要があったそうですが、何とか半年間のデモに耐え最後は早大に寄贈しました。油圧源は航空機用高速油圧ポンプ(ABEX社)をアメリカから輸入してきました。そのため事前にカリフォルニア州オックスナードにあるABEX社の航空機油圧機器工場を訪問し、航空機油圧の何たるかを勉強してきました。航空機では高出力の油冷モータが当たり前であることを知り、民需用とはレベルが違うことを知りました。

日立でも油冷モータを試作してみたが、ハーメチックシール技術もなくとんでもない大きな物しかできませんでした。それでやむなく輸入となったのです。アクチュエータは油圧ロータリー式であり黒田精工(富津工場)にお願いしました。当時、FANUCの油圧サーボモータの開発の経験もあり、同社は技術レベルが高かった。高村さん(当時黒田精工技術課長)とフォースモータサーボ弁の開発で大変お世話になっていた関係もあり、無理を通して試作していただけました。

油圧ロータリー式は通常はシール材を用いてもれを防いでいるが、サーボ要素としてはそうはいきません。加工精度を高くしてクリアランスを可能な限り小さく保持してNO SEAL方式で動作させました。

後から聞いた話ですが、2度と再びこのような高精度ロータリーは出来ないと言われました。また油圧タンク、アキュムレータもすべて小さく軽くする必要性があり、日立工場の鉄鋼プラント対応圧延機の油機部分を担当するメンバが新しく設計してくれました。

当時は電気駆動が大きくとても歩行システムに乗るようなしろものではありませんでした。現在では電動モータが大幅に進歩したので、あるいはこれに置き換わる可能性がないとは言い切れません。

しかしボストン・ダイナミクスの走るロボット群の大型は今もエンジン一油圧システムで出来ています。電動と油圧の両者に精通した技術者が求められるところです。

油圧は経験工学的要素が多いし油を扱うことになるため、モノにうとい若者には好まれないかも知れません。当時の私は、武蔵の2刀流のごとく、電動と油圧の両党使いがすごいことは判っていました。だが荷が重すぎてできなかったのです。

しかし、新しいジーゼル噴射ポンプを試作しようとしていた当時の日立佐和工場の試作部門の方々の中には、両刀使いどころかソフトまで書ける3刀使いまでおられて、本当に驚きました。CAD,SOFTまで全部ひとりで纏めないと仕事が回らないのです。

当時の日立は世界をリードしているのは俺なのだという強い自負がありました。すべてのことが日立G内部でできたのですが、それが超大企業の問題点でもあることを後から知りました。

社内の人しか頭に浮かばずプロジェクトはすべて社内の人ばかり。つまり、視野が狭くなってしまうのです。大学の先生との付き合いは多かったが目的はリクルートであり、産学連携という概念はありませんでした。

日立建機時代（1986-1996）

暴れまわっていた私は49歳の春、隣接する日立建機技術研究所に飛ばされました。拾ってくれた技術研究所ではかわいがられましたが、私は日立の「自主独立精神」を人一倍強く持つ男です。相変わらず自主独立で仕事をしたので、研究所では反主流になってしまいました。

今では考えられませんが、当時の研究所には「建機は建機に、油圧ショベルは油圧ショベル設計部に任せればよい」との風潮がありました。「タテ割り」だと工場サイドが困惑するケースも生じかねません。そこで電子制御ロードセンシングショベルの開発に携わった私は、設計部と協力することにしたのですが、そのときショベルの油圧制御の難しさ、複雑さに驚くと共に、その魅力の虜になってしまったのです。

当時の油圧ショベルはネガティブコントロールと言って、バイパス回路がありました。流量が減ればアクチュエータの動作が大、言い換えると動作デマンドが大とのことで、油圧ポンプの流量アップ、逆に流量が増加すればアクチュエータの動作が小、言い換えると動作デマンドが小とのことで、油圧ポンプ流量をダウンさせます。ネガティブコントロールは油圧ショベルの標準となっていました。

これに対し、当時の若手ショベル設計者が欧州の一部ショベルメーカのトレンドに反応し、電子制御LOAD SENSING制御の油圧システムに本気で取り組み次期モデルとして製品を出しました。

出だしは好調で、社内検査部門及びアマチュア的オペレーターからは操作しやすいとの評価でした。

ところが数か月たつとベテランオペレーターから一斉に反発の声が上がってきました。操作速度がゆっくりで作業性が悪い、使い物にならぬというのです。これには驚きました。毎日動かしているプロにとって、操作レバーは自分の手足と同じ感覚になっており、応答の速いほうが稼ぎが多く良いというのです。

優秀なショベル設計者はアマチュアオペレーターの声を聞き、「操作性が良ければすべて良し」と判断しました。が、ベテランのオペレーターからすると、応答の速度の方が重要だったのです。おかげで新製品として鳴り物入りで宣伝したショベルが売れなくなり、大変なことになりました。

このピンチに活躍したのが電子制御を理解できソフトが書ける2人の新進気鋭の学卒(中村、梶田両君)です。彼らの獅子奮迅の働きで、顧客のニーズに対応して電子回路のソフトを改造。火の気を消すことができました。時代の転換点で活躍できるのは、やはり新しい知見を持つフレッシュ若者である。私はそのことを痛感しました。今その世代が建機の事業部長クラスになって、企業を支えているのでしょう。当時の3500億円企業が、現在では1兆円に近い企業に成長しました。

昔も今も同じと思いますが、日立建機単独ではキャタピラ、コマツに対抗できないので協力企業を組織化し、強力なものづくりネットワークを形成しています。

そのおかげで私は多くの企業、大学に出張することができ、また油圧、建機関係の大学と仲良くなりました。とくに中国では浙江大流体伝導研究所の王所長(現在は退官したと連絡がありました)、スエーデンのリンショーピング大学のKRUS教授には大変お世話になりました。私が出張した企業や大学を以下に掲げます。紙数の関係で割愛せざるを得ませんでしたが、他にも多くの方々にお世話になりました。皆様に深く感謝申し上げます。

＊米国(JOHN DEERE社、マサチューセッツ工科大，ウィスコンシン大，ミシガン大、オクラホマ大,SUNDSTRAND,EATON、HYDRAULICS CO,VICKERS)等。
＊英国(ケンブリッジ大　サウサンプトン大、HARWELL ATOMIC LAB. WATER JET LAB.)等
＊ドイツ(アーヘン工科大、ハノーバー工科大、シュトゥットガルト工科大、ブラウンシュヴァイク工科大、ドレスデン工科大、HYDROMATIK,BOSCH、REXROTH)等
＊スエーデン(リンショーピング大、VOLVO HYDRAULICS,BAHCO)
＊フィンランド(タンペレ大、ラッペーンランタ大)
＊オランダ(INNAS,　デルフト工科大、アイントホーフェン工科大)
＊イタリア(FIAT中研、モデナ大、建機研究所(1か月滞在)
＊中国(浙江大学、三一重工、日立建機合肥工場、ハルピン工大、北京理工大、北京航空航天大、中南大、中国地質大、中国鉱山大、上海理工大、吉林大学(客員教授)、燕山大学等)
＊韓国(プサン大学、浦項工科大、現代重工、DOOSAN重工の技術顧問)

東京工科大学時代(1996-2005)

松崎淳博士の紹介により、川崎寛司先生の後釜として東京工科大学に就職することができたのは、大変幸せなことでした。しかし、教授職というのも最初は大変だったのです。いくら準備し講義をしても、ざわざわして聞いてくれません。大声で注意すると瞬間的に静かになるがまたざわめくということで、学生の心を捉えることの難しさを痛感しました。どの先生もあきらめ気味で「うちの学生はレベルが低いからしょう

がない」と愚痴ばかりでした。

しかしそれは20年前の話で、現在ではこの様なことは全くなくなりました。三田先生の好意で今も機械工学特論を教えていますが、学生たちはみな静かに聞いてくれています。ただ、昔に比べ落ち着いて講義できるようになったのは、生徒がまじめになったのも事実でしょうが、スマホが普及したことも原因だと思います。確かに教えやすくなった環境にはなりましたが、講義というのはいつの時代も大変です。

研究室も最初は学部生だけで、いつまでたっても進歩がない。やはり、修士がいないといかんともしがたいことを痛感しました。そこで、企業と共同研究することで、学生を刺激して修士を育成しようと考えました。「産学連携」という言葉はまだあまり聞かない時代です。先輩の先生方は、産学連携なんてできるレベルではありませんよ、と悲観的でした。

しかし私は、持ち前の反骨精神からやってみようと決意し、産学連携—修士学生勧誘作戦を始めました。その結果、最初の1997年度は0人でしたが、次年度から1－4－7－5－4－7—6－7人と入学者が増加し、研究活動の積み上げと積極的な委託研究が可能になってきたのです。

学生教育と研究開発の方針として、以下のA～Dを心掛けました。

A）若者を産学で鍛えなおす

すなわち時間、期限の観念を教え、「設計しモノを作り制御する」とはどういうことなのかを、産業界で実際に通用するテーマで実践するのです。ライデングシミュレータなら本格的な6軸パラレルリンクメカニズムを作り動かしてみる。ロボットなら日立建機流の油圧駆動の本物を作ることを目的として、実際に10年がかりでアルマジロを試作しました。

シミュレーションもしますが、それは手段あり実物をつくるのが目的です。しかし、これを実践するには多くの費用がかかります。研究室は学部、修士まとめて平均30人になったので、1人あたり100万として計3千万円の費用がかかるのです。これらの費用は産業界あるいは国プロジェクトから集めてくることになります。

もちろん金集めは楽ではないですが、そこは日立で散々苦労してきたので慣れています。お金は後からついてくるとの信念で、借金をしつつ学生につぎ込みました。借金とりたてで胃が痛くなったこともしばしばでしたが、世間は鬼ばかりではありません。助けてくれる人がいるのを実感しました。また、故高橋茂先生(当時東京工科大学長)のご英断でクレーン付の実験室を作っていただき、これが産学連携の大きなインパクトになったのです。

B)産業界のベテラン、OBから技術指導を受ける

産業界OBの方を講師として招き、マンツーマン教育体制をとるようにしました。修士学生が多くなると研究室員は30-40名となり、一人の先生で指導できるものではなくなってしまいます。そこでこの作戦をとり、常時10名弱の先生に来ていただくことができました。大学の良いところはお願いすればボランテア、ノーペイで週に数回ペースできていただけることです。この活動を通じて判ったことは、企業で経験をつんだOBと学生の相性が極めて良いことです。

実際に学生は、教師よりも産業界OBから、ものづくりについて多くのことを学んだのではないかと思います。

C)産学は出前精神で実施、研究費は自分で稼ぐ

「出前」とは、言葉通り相手のところに積極的に出向いて研究するということです。研究費は学生の真摯な姿によって獲得できるということです。

D)研究は楽しくものづくり、結果は積極的に発表

これは当たり前のことですが、まず学生を楽しませることが重要です。要は学生を信頼して、まかせるところはまかせるということにつきる。研究テーマの選択においても自分の興味のあるテーマを思い切ってやれれば、現代の学生も楽しいのです。

要約するとA)ものづくり教育の実践　企業の人的、資金的支援を得て実際に近い装置を自分で考え設計する。簡単なものは自分で作る、大きいもの、複雑なものは企業にお願いする。あるいは借用する。

B)実学の推進　企業OBの方に卒論指導員をお願いする。実学の効果は抜群で、学生は息を吹き返し自信を獲得し頑張りだした。ペーパーテストのための教育ではなく、手足を使ったものづくりから工学教育を始めれば、学生は必要性と興味を感じ工学の勉強を自主的に始めることになる。

C)産学連携の推進　産学連携および競争的資金獲得により年間数千万、平均1テーマあたり100万程度の資金を投入し多くの学生を育てた。

D)好きこそものの上手になれ　学生に研究やものづくりの楽しさ、面白さを教える。人間は興味のあることなら、自主的に取り組むようになる。

若者教育論

現代は武士の心の衰微した時代でしょう。物の本によると、平安初期は武士の心の時代だったそうです。渤海国との交易開始時、若者は荒海を渡り渤海、唐まで交易しました。

けれども、平安後期になると文の心の時代になり、「毛皮は欲しいが荒海を渡るのがこわい」となってきて、遣唐使まで消滅してしまいます。

現代はまさに、この平安後期の源氏物語の王朝絵巻の世界にあります。多くの若者は宴に明け暮れた貴族の気分にあり、現実を忘れすぎています。これからの若者教育は、彼ら彼女らを絵巻の世界から現実に戻し、鍛錬し、再び武士の心に戻すことでなければなりません。

しかし、忘れてはならないのは、鍛錬といっても愛情のある鍛錬でないと通じないことです。私はその勘所を会得するのに数年かかりました。私は年に一度二月末に、学生、卒業生、企業の方々を集めて産学研究発表会を行っていました。

私の研究室の学生たちが、自分たちの一年間の研究成果を発表するのです。この発表会は10回を数えるに至りましたが、参加者は毎回100名を超える大盛況でした。このような発表の機会を与えることが、いかに若者たちに自信を与えるか。その効果は驚くほどでありました。

再び産業界へ
ものづくりメカトロ研究所の設立

9年間の大学人生を終了後、私は産学連携で縁のあった菊池製作所（本社八王子市、年商70億、社員350名、工科大卒業生40名就職、携帯電話、デジカメ等のトータル試作業、産学連携企業）に入社。「ものづくりメカトロ研究所」を創立しました。

この会社とは過去に約6年間のお付き合いがあり、ライデングシミュレータの開発から、大学発マッチングファンドを使った3次元パイプベンダの開発まで、共同で仕事をした経験があります。今回は、1,000坪の立地を有する建物を提供いただき大学研究室をそっくり移動。研究所の所員も工科大出身者で充足しました。

ただし、これには大学の深い事情があったのです。大学は工学部を廃止し新しい学部を立ち上げしている最中でした。しかし、修士学生8名、博士学生1名がまだ残っており、実験設備を保持する必要がありました。ですから菊池製作所の協力は、大変ありがたかったのです。

彼らが卒業したことで、大学人としての私の使命は一応達成できたことになります。

私の次の使命は研究所の立ち上げと企業への貢献です。主たる使命は新しい機械の創造であります。しかし、焦ってなにか出来るものではありません。

A）誰でも歓迎するOPEN LABO
B）若者が楽しいDREAM LABO
C）シルバパワが活躍できるEXCITING LABO
D）小粒ながらオリジナルな技術で飯が食える LABO

ものづくりメカトロ研究所では、以上の四つをモットーとしました。

大学時代は学生さんと一緒に世界中をまわりました。最後の年は毎月飛行機に乗っているような状態となり、気が付けばまたヒースロー空港で待っている状態となりました。
それほど世界中を飛びまわりました。今はコロナでどこにもいけず、あの頃が夢のごとしです。世界は広く行ってみて、はじめて新しい発見があるということを実感しました。
例えば、オランダのブレダ市にあるAACHTEN博士の主宰するINNAS社を訪ね、画期的なFREE PISTON ENGINEを見学したことは、鮮明に記憶に残っています。今更ながらオランダ人の強烈な開発魂を感じました。
また同じツアーで、アムステルダムのALSTOM社のフライホイール駆動電車を実車させてもらう機会を得ました。実際にフライホイールの回転数が表示されており、エネルギーのやり取りをしている状態が示されていました。
また建機OBとして、学生を連れてラスベガスで開催された国際建設機械展BAUMAを見学し、ついでに観光したことも楽しい思い出です。
中国には5、60回出張しましたが、一番の訪問先は浙江大の王教授の研究室です。ここでは多くの友人ができました。正直、あまり画期的な開発はありませんでしたが、空圧スクータには感心しました。
我々ものづくりメカトロ研究所では、研究テーマの設定にも独自な工夫をしています。すなわち、所員が主体的に展開するAテーマと、大学あるいは企業と共同で行うBテーマとにわけて進行させるのです。例えばAテーマとしては、3次元パラレルリンク式パイプベンダとかマイクロポンプがあります。
Bテーマとしては、パラレルリンク応用技術として各種シミュレータ応用、災害復旧用フイールドロボット(DISASTER ROBOT MR.ARMADILLO)の開発があります。このロボットの具体的な設計、製作、運転はすべて学生パワーで行い、世界に打って出たものです。
フイールドロボットの機構上の特色は4WD(4輪HST駆動)、4WS(前輪、後輪独立ステアリング)、4WT(4輪クローラチルテング)で、駆動上の特徴は無線遠隔操作です。狭隘な場所でも走行可能で、階段昇降も実証しました。フイールドロボットとして地雷探査処理あるいは災害救助を想定したものです。

これからの生き残り戦略　産学で生きる

中企業の研究所を成功させるには、人材を産学で補強することです。例えば大学生に研究所のテーマを分担してもらい、一緒に研究することです。すなわち、大学と強い絆を有すること、および大学にとって魅力のあるテーマを提供できることが前提になります。

また、技術開発方向を迅速に捉えるためにも産学が必要です。さらに、開発資金を得るにも産学で共同研究することが必要であります。大学研究室と企業研究所の運営は基本的に同じなのです。

産学で若者人脈をリフレッシュしリクルートすることもまた重要な要素です。ついで、相談できる専門家を産学で補うことも出来ます。

この場合重要なのは企業側の懐(ふところ)の深さです。大学の提案を可能な限りのむ度量がないと長続きしません。当然のことですが、企業サイドにも大学に魅力を感じてもらう努力が必要です。

日本中の中小企業が産学に目を向けていることは間違いないと思いますが、成功への道のりは簡単ではありません。大企業もまた、産学連携で大学と結び、公的資金を得ようと血眼になっているからです。しかし私は、ものづくりメカトロ研究所がこれからも多くの人に支えられて発展していくことを確信しています。

研究室から——。

第1章

若者教育論
産学連携奮闘記

大学サイドから

私は産学連携において、大学側の立場と企業側の立場の両方を経験しました。研究室運営のために資金を集めたい、だが公的資金だけでは限界があるので産業界からも集めたい。これが教師の立場です。資金があれば学生に面白い研究テーマを与えて論文にまとめたり、海外発表に行ったりすることも出来ます。

そうなれば教師のステイタスがあがり、優秀な学生が集まるという正のスパイラルが生まれます。だから意欲のある教師は、産学連携に積極的になるのです。

私も東京工科大時代、産学連携に尽力しました。当時の私の研究室の活動方針と使命の欄をみると、「私どもは新しい概念の機械の創造、言い換えれば今までになかった未来機械の創造を目指し産業界への直接的応用のため（中略）産学連携を強力に推進しています」「私どもの研究室の特徴は産業界にとって革新的で魅力的機械の開発にあります。

これは学生にとっても魅力的に違いなく大きな開発パワーが出てきます」等々の言葉が並んでいます。今読んでも当の高揚した産学連携の想いが伝わってきて涙が出ます。以下に、私どもの産学連携の成果をダイジェストで紹介していきます。

パラレルメカニズムと先端機械 （PARALLEL MECHANISM and INDUSTRIAL MACHINES）

A）6軸パラレルメカニズムを用いたパイプ曲げ加工機の原理開発

多種少量生産システムで有効な曲げ加工機の開発を行なっています。本件では押通し曲げ加工法を用い、可動ダイス駆動機構にパラレルメカニズムを応用することにより、従来の押し通し曲げ加工機よりも柔軟で加工精度が高い加工機の開発することを目的としています。油圧式パラレルメカニズムを応用した縦型ベンダは、世界にこれしかないのですが、実は修士の学生の発明でした。これが大きな波になるとは当時は想像できませんでした。この図1-1の縦型ベンダが図1-2のごとく横型に変貌し、本格的に成長していったのです。

図1-1 縦型ベンダ

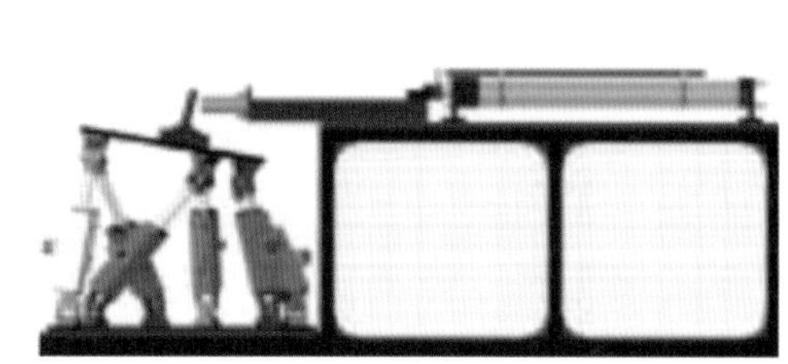

図1-2 横型ベンダ

B)6軸パラレルメカニズムを用いたパイプ曲げ加工機の応用開発

従来のプレス曲げ、押し付け曲げ、引き曲げ等の曲げ加工法は、曲げ形状ごとに金型が必要になり、金型製作のコストや時間がかかりました。本研究では、6軸パラレルメカニズムを応用することで従来の曲げ加工機よりも小型で且つ加工対象を問わず任意の三次元形状に加工可能な曲げ加工機の開発を行なっています。

「研究成果として、図1-3に示されるような任意の曲げ軌跡、外周面を持つ加工形状への生成を見出しました。

また、新しい曲げ対象であるマグネシウムに挑戦し加工が可能であることに確認しました」というのが当時の修士学生の説明文ですが、私にも理解が難しかった高度な内容です。

このベンダ開発は、当時の予算で2.5億円の競争的資金を得て行いましたが、研究の主力は研究室の学生でした。

その中にずば抜けたソフト能力を示す学生が数人出てきて、図1-3に示す曲げ—ねじり加工の理論まで作ったのには本当に驚いたものです。

このような前人未踏の研究が、どうして一見平凡に見える工科大学生の頭から生まれたのであろうか。結局、教師であった自分の能力なぞたかが知れており、学生の方がはるかに優れていたということでしょう。少なくとも自分より優れた能力を持つ若者が潜んでいて、彼ら彼女らに潜在能力を発揮する場を提供できたということでしょう。

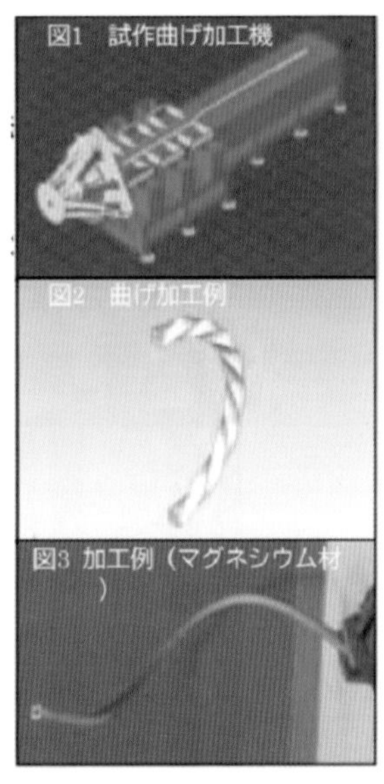

図1-3 3次元曲げ加工機

大きな声を出すものだけが出来る人でない、一見頼りない学生が驚くほどの能力を示すのです。私自身、一流といわれる東大、東工大、東北大、早慶大出身の学生と沢山付き合っていますが受験勉強で学生を区別することの不条理を痛切に感じました。受験戦争で勝ち抜く学生とは別に、具象から抽象に入る学生がいる。どちらが良いか比較するのは意味がなく、その2パターンがあることを理解しなくてはなりません。私が教えた工科大の学生は具象から抽象に入るパターンで、抽象的な学問を理解できず受験戦争では負け組です。しかし物づくりを徹底すると具象から抽象に入ることができ、能力が開花します。世間で優秀という学生は抽象が理解でき、受験に強い。それだけでも先へ進むことはできますが、具象のトレーニングをしないと実学、実業、モノづくりが判らない人になってしまいます。

EHLプレス機の開発設計

プレス業界では、大別して2種類の動力方式のプレス機が使用されています。一つは油圧式のプレス機で、もう一つは電動式のプレス機(モータを使用したもの)です。私どもは新たな動力方式を使用したプレス機の開発を目的とし、動力にEHL(Eectro-hydraulic-linear)を利用したプレス機を製作しました。図1-4を参照ください。

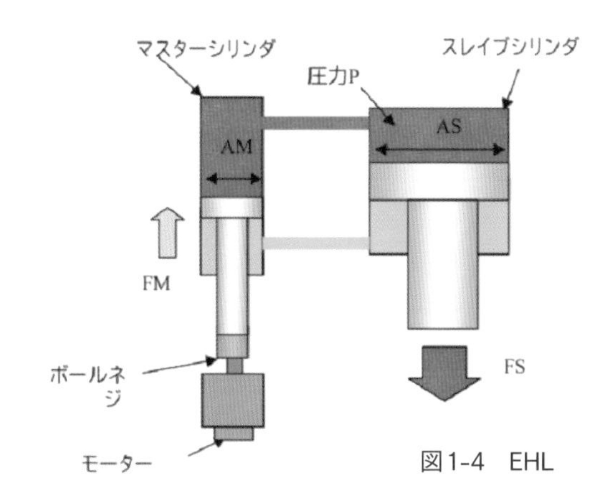

図1-4　EHL

パラレルメカニズム試験機（PARALLEL MECHANISM TESTING MACHINE）

A）電動パラレルメカニズムの力制御の研究

パラレルメカニズム分野ではフライトシミュレータの研究が盛んに行わてきました。本研究では小型のパラレルメカニズムのアクチュエータにそれぞれ安価な力センサを取り付け、アクチュエータに掛かる荷重をコンピュータに取り込み、力制御可能な装置を製作しました。

これにより力制御することができ、入力された方向や回転に対し位置も同時に制御できます。

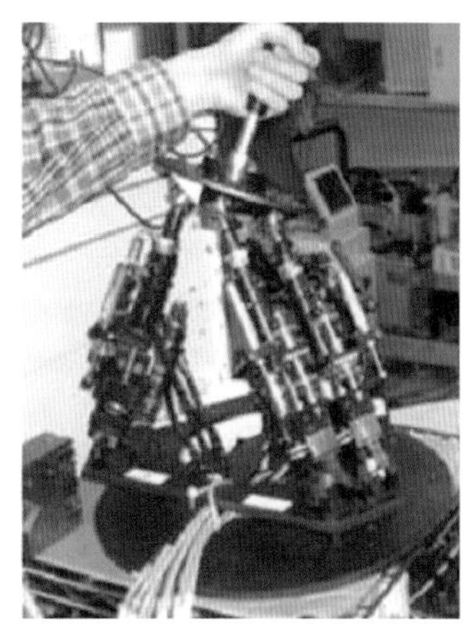

図1-5　ハイブリッドパラレル機構

この装置は東京精密測器（東測）出身の技術者が設計したのですが、東測の社長を務めておられたのが東工大名誉教授の中田孝先生です。東測は大学研究室が移動したような自由な雰囲気が一杯で、面白い会社でした。学士院会員でもある中田先生には研究室に来ていただいたこともありましたが、ほどなくお亡くなりになりました。

中田先生からいただいたご著書『藏前の想いで』を、お世話になっていた油圧会の巨匠たる喜多先生(島津製作所出身)にお見せしたことがあります。喜多先生は「面白そうだから見せろ」と言うのでお貸ししたところ、喜多先生もほどなくして他界されました。今頃あの世で2人して、技術談義をされているかもしれません。

B)パラレメカニズムを用いた試験機の開発

現在、オートバイフレームの台上試験においてサーボパルサー型の単軸試験機が採用されています。私どもは複合的な動作が可能であるパラレルメカニズムを用いて、実験荷重を与えることが出来る台上試験機の開発をしました。ここに示すのはヤマハバイクであり重要部材の耐久性の試験機です。

図1-6　バイクの主要部品の耐久試験機
パラレルリンクでいろんな荷重を与えることが出来ます

図1-7　バイクの主要部品
パラレルリンクでいろんな荷重を与えることが出来ます

C）車両振動シミュレータの開発

古くから自動車では快適な乗り心地と操縦安定性について研究されています。います。本研究ではパッシブ型のサスペンションの特性を克服し、よりよい乗り心地と操縦操作性を追及したアクテイブに動作するサスペンションを開発し、乗り心地を検証しようとします。

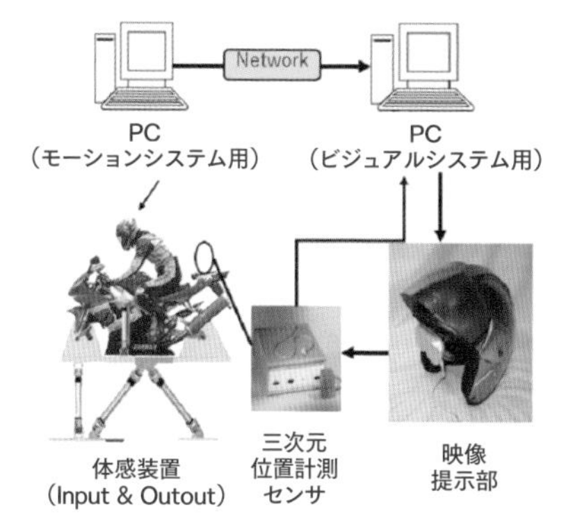

図1-8　車両振動シミュレータ

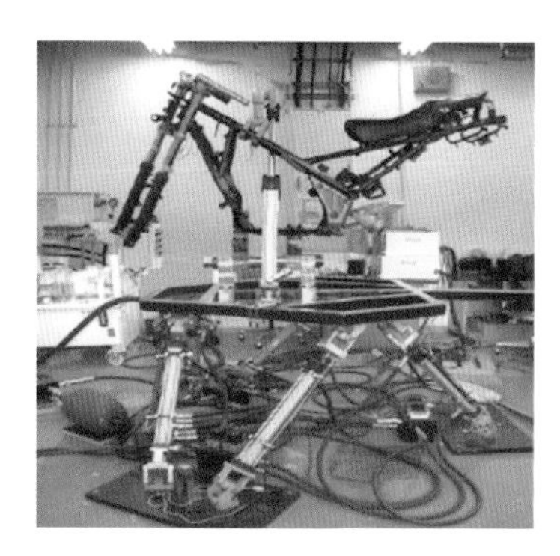

図1-9　シミュレータの全体図

D）光軸合わせのための小型パラレルメカニズムの開発

近年、プラズマや液晶テレビ、プロジェクタなどのハイビジョン映像装置は需要が大きく広く普及しています。本研究では現在に使用しているシリアル構造よりコンパクト化かつ高精度化ができるパラレル構造を検討します。小型パラレルメカニズムを開発し、評価テストなどを行なっています。

光軸合わせのテーマはどこかの会社の直接的な依頼があったわけではありませんが、日立戸塚工場(日立生産研究所)での議論、EPSON研究所の訪問時の話、OLYMPUS光学との討論等のいろいろな機会があり、テーマとして取り上げました。LABVIEWというソフトで解析した結果をクアランプールの国際学会で発表しました。実際に3個のパラレルを組み合わせ実験までこぎつけました。

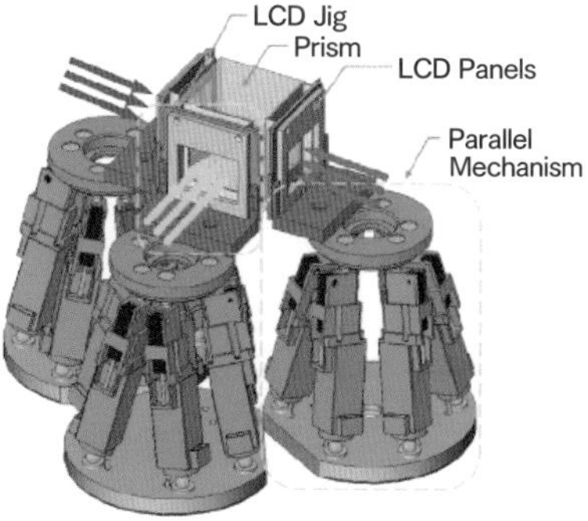

図1-10
光軸合わせ用3個のパラレルリンク

先端産業ロボット
（ADVANCED INDUSTRY ROBOT）

A）多足移動機構の研究

多足歩行移動機構の研究開発のテーマで図1-11左が一本足のイメージです。

この足の移動機構は、xyz軸それぞれにシリンダが付いており、xy軸は前後左右にスライドし、z軸は足を上下させる機構ですが、シリンダが垂直についているため、出力が直に車体に伝わるので力の損失が少ない。この足の取り付けは簡単であり目的によって足の本数を変えることができ、荷重がかかる部分には足の本数を増やすこともできます。足同士が干渉しないので制御も簡単で救助などの応用についても考えられます。

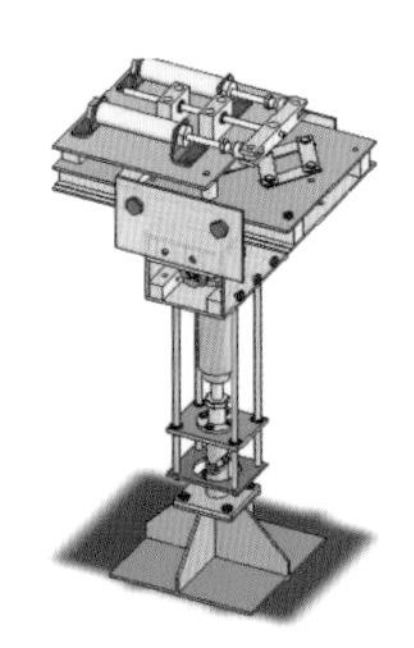

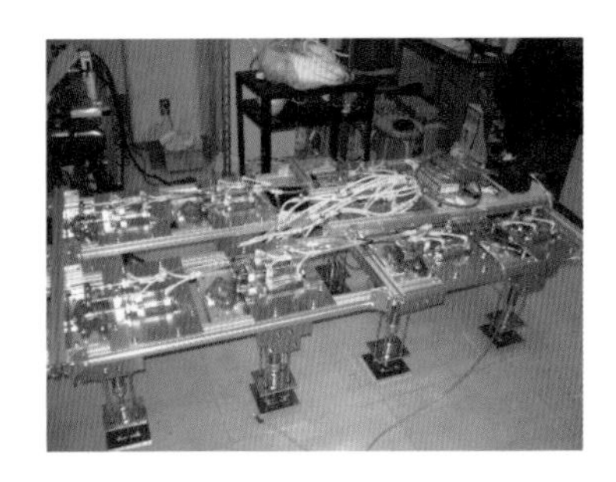

図1-11　多足移動機構のユニットと全体システム

B）新しいマニプレータの研究

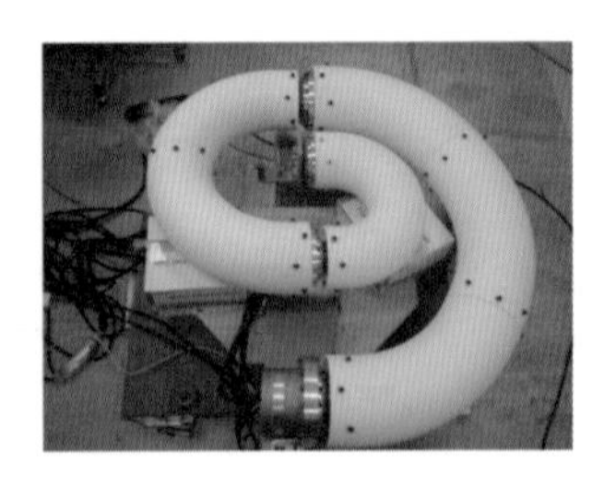

図1-12　開発した新しいスパイラルマニュプレータ

先端制御デバイス（ADVANCED CONTROL DEVICE）

A)アクテブエンジンマウントの開発

ディーゼルエンジンは燃費効果やCO2減少などの観点から有効ですが、ガソリンエンジンに比べ振動や騒音といった問題があります。本研究では騒音振動の減衰を目標とし、従来使われているラバーマウントに変わる能動的制御法を用いたアクティブエンジンマウンド(ＡＥＭ)の開発を行いました。このテーマはいすゞ中央研究所の騒音研究関係者と長く研究したテーマであり免振制御としては画期的なデバイスの開発につながったものです。

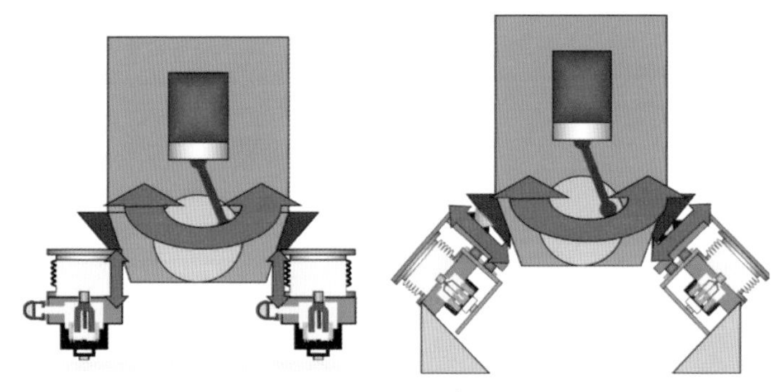

図1-13 水平および斜め式アクテブエンジンマウント

この開発過程で修士の弘中君が制御を担当し十分な能力を発揮しアルゴリズムを考案し自動車技術会で発表しましたが、一流大学の修士と対抗できるレベルでした。これがとても産学連携なんてできないと言われた同じ大学の話でしょうか。要するに受験勉強に適さない学生も訓練次第ではいくらでも成長することを示したわけで、今の教育方法が良くないと私は言いたいです。

さらに言えば学生にとって大学はパラダイスで自由に能力を伸ばせる空間です。企業に入ると桎梏のなかで能力が死んでしまうということです。若者は自由な雰囲気でないと心を開けず能力も開花しません。若者には、彼ら彼女らに適した自由な雰囲気でストレスフリー環境を与え、自信を与える必要があります。例えば普通の学生には、まず興味を持たせるためにものづくりをしてもらい、その過程で物理、数学といった基礎学問の必要性を感じてもらうことです。現在の受験戦争と逆にしてこそ多くの学生は救われるし、その能力を発揮することを知るべきと思います。

B)アクテブサスペンションの開発

サスペンション(懸架装置)は車体を支え、路面の凸凹の衝撃を吸収するものでさまざまな形式があります。本研究では、油圧振動制御式アクチィブサスペンションを開発し、路面からくる振動、衝撃を吸収、緩和、タイヤの接地性を高め姿勢制御をします。これにより操縦安定性の確保と快適な乗り心地の両立を図ることができます。

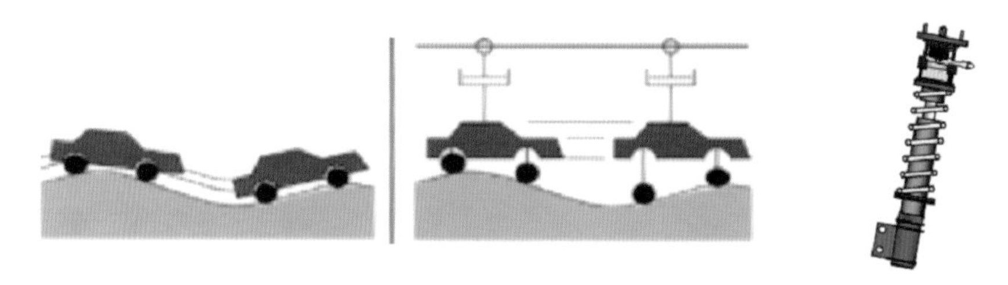

図1-14　アクテブサスペンションの適用と開発目的のデバイス構造

先端的車両(ADVANCED VEHICLE)

A)地雷探査処理ロボットMR.ARMEDILLO

世界では発展途上国を中心に1億個を超える対人地雷が埋設されています。それらの地雷の撤去活動には、主に人間の手作業によって取り除かれているのが現状です。本研究では、作業者が安全に探査・処理を行える人道的地雷探査・処理機構を提案し、あらゆる地形を走破する全地形突破性能を備えた小型の車輌を用い、探査・処理を一貫して行えるロボットを提案し、実現の可能性を検証しました。悪路での走行を想定した段差突破機構の開発と車両の無線化も行いました。

図1-15　アルマジロ
左が地雷探査用、右が狭隘作業用の多段アクチュエータを装備した状態

B）多軸シリアルリンクの研究

現在建設現場等で用いられているシリアルリンク機械は、通常必要最小限の自由度を有しています。そのような機械では作業が困難な狭隘（きょうあい）な現場が近年増加しています。本研究では、そのような場においても目的の作業を行うための冗長自由度を持った5軸シリアルリンクアームとその操縦システムの研究を行いました。上記右図に示すアルマジロのアームは象の鼻のごとく屈曲する多軸リンクです。

C）アルキメデアンスクリュードライブ（ARCHIMEDIAN SCREW DRIVE CAR）の研究

現在、世界には、地球温暖化に伴い砂漠などの車両が簡単に踏み入れられない土地が多く存在しています。本研究では、僻地走行車両として主に砂漠地帯に適応した走行車両を製作し、今まで不可能だった場所も進入可能になることにより、未開拓地開発車両として普及することを目的としました。

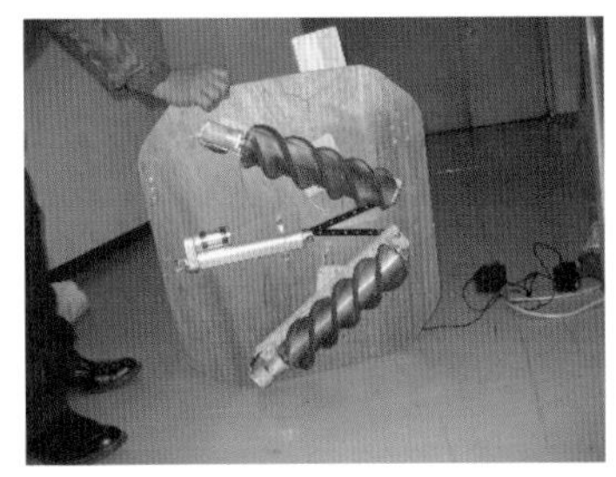

図1-16　アルキメデアンスクリュードライブ

図1-17　フライホイールカー

図1-18　使用するフライホイール本体

D)フライホイール式CPSハイブリッド車両の研究開発

現在、ハイブリッド自動車の開発が盛んに行われていますが、本研究ではフライホイールをエネルギ蓄積装置とした油圧式ハイブリッド自動車の開発を行いました。油圧システムにはCPS(Constant Pressure System)を用いており、制動時の運動エネルギーをフライホイールに蓄積し、再利用できるシステムとなっています。

E)電気自動車(EV)の駆動系に関する研究

電気自動車は走行エネルギー源である電池のエネルギー密度が低く、航続距離が短くなるという問題点があります。そこで本研究では電気自動車に応用可能な駆動システムを持つハイブリッド自動車を設計、製作します。

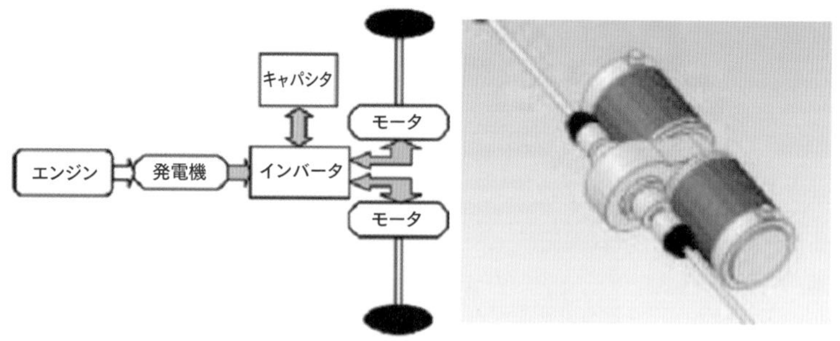

図1-19　EV駆動システム

以上がその当時の一柳研究室の発表内容です。今から思うと少しオーバ気味ですが、心意気は盛んというべきです。若者はそれくらいの気持ちでがんばっていたのです。

企業サイドから 菊池製作所の15年

ここでは、2021年に国会の経済産業委員会において中小企業の振興のために陳述した時の内容から、実例をあげて小職が勤めている菊池製作所の産学連携の実態を述べたいと思います。

A）第1期（2006年4月～2011年4月）大学延長時代

2006年にものづくりメカトロ研究所を創立し、多くの大学と共同研究を開始しました。

図1-20　講演中の著者

菊池製作所は社員350人の典型的な中小企業でして、情報家電メーカの試作、携帯の量産等あり多忙で活気に満ちていました。

教え子の中に企業の研究、設計、製造部門に通用する学生が続々育っていたので、菊池製作所に30名程度を採用してもらいました。今もそのうち何名かは幹部として会社を支えてくれている。大変有難いことです。

ものづくりメカトロ研究所の所長となった時、私は70歳になってはいましたが、これからやってやるぞとの気概にあふれていたので早速新しいロボット作りに励みました。資金は会社からも出してはいただきましたが限界があり、大きい研究費は自分で調達するしかありません。

図1-21　東京消防庁のレスキューロボット

多くの機関の公的機関の発注とか補助金で助けられましたが断念せざるを得ないプロジェクトもありました。

弊社の主力工場が東北大震災―原子力プラント被災を受けた福島県浜通り（相双地区）にあります

ので、その復興補助金の支援を継続的に受けることが出来ました。レスキューロボットがその代表で今でも使われています。

B）第2期（2011年4月～2016年4月）産学連携時代

ジャスダック上場(2011)で会社も1段飛躍、当時の安倍内閣よりロボット革命委員に任命され勢いを得て大学発ベンチャ企業を集積いたしました。続いて震災で壊れた広大な工場を買いとり南相馬ロボット工場として整備し先端的生産設備を導入。この期間にACSL(自律研)、イノフィスを含め表に示しますように大学発ベンチャ8社ほど設立致しました。

名称	シーズ技術	事業内容
株式会社菊池ハイテクサプライ	—	当社グループ開発品等の販売
株式会社イノフィス	東京理科大学	作業支援ロボット等の開発・製造・販売
WALK-MATE LAB株式会社	東京工業大学	歩行支援ロボット等の開発・製造・販売
SOCIAL ROBOTICS株式会社	東京大学、首都大学東京	コンシェルジュロボ・社会支援ネットワークシステム等の開発・製造・販売
フューチャーロボティックス株式会社	早稲田大学	遠隔操作作業ロボット等の開発・製造・販売
株式会社ヘルステクノロジー	民間病院等	介護・医療ロボットの実証・販売、機能回復施設の運営等
TCC Media Lab株式会社	電気通信大学	医療機器の開発・製造・販売
Safe Approach Medical株式会社	九州大学	医療機器の開発・製造・販売
株式会社自律制御システム研究所	千葉大学	ドローンの開発・製造・販売

表1　最初のベンチャ出資会社

大学発ベンチャ企業の生い立ち

千葉大発ベンチャ野波先生のACSL

最初は千葉大の野波先生と作ったドローンをビジネスとするACSLです。当初、先生の研究室に2名の所員を長期間派遣してドローンとはなにかを勉強させていただきました。先生の指導で放射線測定γカメラを積んだ有線給電ドローンを開発し環境省から委託を受けて福島県で測定しました。原因不明でたまに落ち、役所から開発費はもらえませんでした。大きな痛手でしたが当時の会社は余裕があり勉強代として許容してくれました。

ACSLにもその後典型的な死の谷（研究開発を事業化する際に生じる問題）が襲ってきましたが、大手が手をのばし役員を派遣しACSLは上場に至りました。野波先生も奮闘されましたが名誉のリタイヤとなりました。後世に道をつけられた先駆者とはこういう姿を指すのでしょう。

理科大発ベンチャ小林先生のイノフイス

最初の接点は忘れもしないロボット展示会でのブースでした。学生さんの説明を聞きものを試してみましたがピンときませんでした。ただ腰の負担を軽くするという目的だけは理解できました。その後小林先生の研究室を訪ねいろいろ教えていただきました。

私どもは幸いにしてイノフイスなる会社を創立し新事業を起こすことが出来ました。先生の強い指導のもと関係者のご努力で販売は順調に伸びこの10年で大きく成長しています。

東工大発ベンチャ三宅先生のWML

WML(WALK MATE LABORATOR) は全く偶然の出会いから生まれたものです。10年ほど前になりますが、ドイツで開かれた国際福祉展で三宅先生にお会いしました。人が周期的な音刺激に対して同期して歩くデモをしておられ、自分もテストさせてもらうと確かに同期して歩行がリズミックになることを実感し面白いなと思いました。

これがご縁でベンチャが出来ました。それから開発が続き医療認可を受けた歩行解析ソフトを販売するレベルまで来ました。歩行アシストロボットはこれからの商品ですがこの装置を着て四国に行ったこともあります。

早稲田大発ベンチャ FUTURE ROBOTICS

このベンチャはロボット担当の教授を連ねた会社です。早大には次世代ロボット研究機構があり活発に研究しています。しかし大学の研究とベンチャの売上とは別。私学の雄といえどもベンチャの経営は容易ではありません。

第3期(2016年4月－2021年3月)START UP支援

従来の大企業からの部品発注、ものづくりは成長鈍化しむしろ下降気味となりました。そこでロボットファンドを設立しSTART UPを支援し、メカトロ研究所が稼ぐ時代に転換しました。

1.従来の試作、ものづくり事業は安さを求める海外へ移転する一方で、国内のものづくり力は低迷し、雇用を維持できなくなってきました。

2.このためSTART UPを支援して長期的にIPOを目指すと同時に社内に新技術を取り込む。またSTART UPの試作、量産をメカトロ研、製造部門で請負い助ける。この相乗作用がようやく効果を示し全社売上に寄与するレベルに至ってきました。未だSTART UPという言葉がなじみのなかった時代からこの分野に進出できたのは今思えば幸いというほかありません。アクテブなSTART UP支援と社内の革新的ものづくり技術がハーモナイズしたと思われます。

トピックス　大学との交流

大学は金鉱山、ダイアモンド鉱山

今まで積算すると日本中の大学、47校の61研究室とのお付き合いしたことになり弊社の新規事業、START UP事業が利益を生むようになりました。大学は技術、人材の"金鉱山、ダイアモンド鉱山"ではないかと思います。足で稼ぐ以外、金もダイアモンドも掘りあてることはできないので、今でもあらゆる"つて"を頼って"大学めぐり"を続けている次第です。

産学連携には死の谷(過度期に生じる問題)を乗り切る必要

a)前期　大学の研究開発が主体、企業は資金協力を求められます。大学は資金が入ると実験装置の購入とかCAD、MATLAB SIMULINNKといった高価なソフトウェアツールが手に入り、研究が一気に進んで企業との蜜月時代が来ます。

b)過度期　死の谷と呼ばれる時代が待っています。企業は多くの資金を提供しているので実用化すべく設計、製造、マーケテングを行い、大学に対していろいろな要求をします。大学は学生主体でモノ作りは判らないので押され気味になりますが、プライドをかけて抵抗するのです。すなわち主導権争いが生じます。ここで主導権が企業に移せなかったら物は出来ません。必然的に大学から企業へ主導権が移るのです。両者が折り合わないと事業は失敗します。

c）後期　企業は市場開発と販売が主体ということを大学側が納得し、後援することが産学連携のポイントですが、両者は異文化に住んでいるので蜜月時代が終わると混迷期に入ります。ここを通過すれば産業化は成功します。

死の谷をいかに乗り切るか

弊社は以上のパターンを学習し、何回も乗り切って今に至っています。過度期を乗り越え後期に入れるかどうかがポイントになると思います。一言でいえば企業側が一歩さがり大学のプライドを満足させてあげることです。

第2章

START UP育成とイノベーション創造

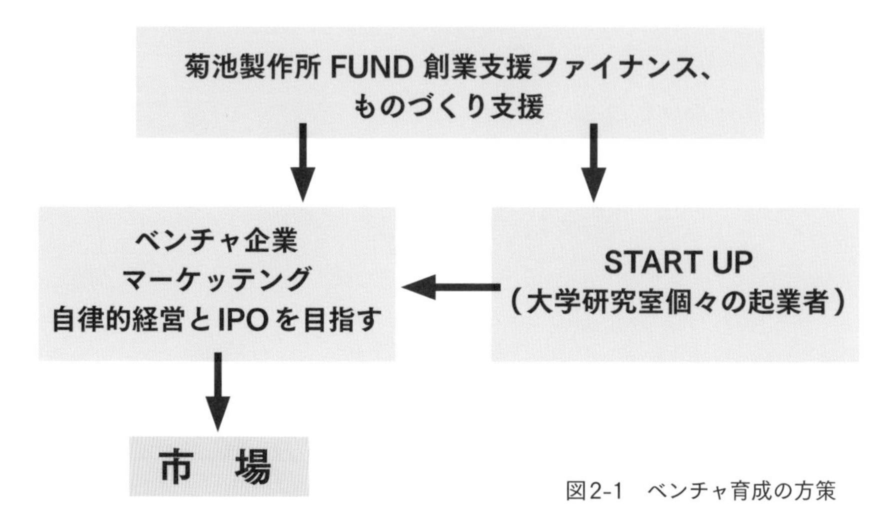

図2-1　ベンチャ育成の方策

創業支援というのは前述のごとく死の谷があり、簡単に進むようなものではありません。しかし、基本的な考え方は図のとおりで我々企業サイドが市場を把握しベンチャの得意でない営業活動を支援することが必要です。START UPだけでは社会的信用を得ることは難しいので上場している社会的信用のある企業の支援が重要ですクラウドファンディングによる資金調達もあります。

今後の大学発ベンチャの育成の考え方

相手の立ち位置を知る

大学には企業人が気づかない素晴らしい先生、意欲のある学生、実用化できる技術が沢山あります。企業と大学とが、お互いのことを知る必要があります。

各大学は展示会のたびにブースを出して宣伝に努め、我々企業サイドも展示会に出展し情報交換しています。でも、互いに魅力を感じなければ、関係は進展しません。話を聞くだけで終わってしまいます。

すぐに良い話になると思わずにまず接触してみる、というのが私の流儀です。私はこれまで多くの研究室を訪問し、そこでいくつもの提案を受けました。他の研究室を紹介してもらい、そこでも提案を受けるといったこともありました。

近くにも目を凝らそう

弊社は20年前からベンチャ、START UP企業創りを始めました。今後、ビッグビジネスができることを期しています。我々はともすれば東京など大都会の有名大学に目を奪われがちです。しかし諸所に行ってみますと、地方でも低予算で独創的研究開発をしている先生方が多い事に気付きます。四国や東北などで、興味深い研究をなさっている先生を、私は何人も知っています。また、そういう研究室というのは、学生さんたちも嬉々として実験しているのです。

ベンチャには長い潜伏期間が必要

ベンチャになるまで

私どもは大学の活動を試作品あるいは製品の設計、生産という立場で支えていますが、いきなりベンチャにまで成長することは稀です。長い潜伏期間が必要な場合がほとんどです。医療福祉関係では、遠隔リハビリに関連した新しい脳科学的アプローチの話が結構ありますが、競争が激しい。二例挙げてみます。

明大工学部教授より片麻痺患者向けのBMI（BRAIN MACHINE INTERFACE）開発の協力要請があり、関係者を連れて生田校舎を訪れました。脳波計とそのデータ処理装置、手の空気圧リハビリ装具を改良したいとのことで協力しました。

東大先端研のI-H研究室のオーグメンテッド・ヒューマン技術（WEARABLE人間拡張技術、VR映像と触覚デバイスを用いた運動教示技術）を遠隔リハビリビジネスに使えないかとの検討依頼がN病院よりありました。これがうまくいけば、例えば将来の脳卒中患者の自宅リハビリに活用できるとともに海外にも技術輸出も可能になるとのことで、事業化を検討しました。だが具体的戦略を立案するにいたらず凍結状態にあります。

面白いだけでもだめ

有明医療大学の本間先生が呼吸の大事さを広く喧伝されたこともあり、呼吸ビジネス実用化の第一歩として呼吸計(昭和測器フラッパ式流量計と緑測器磁気センサの組み合わせ)のプロトタイプを試作しました。

さらに個人タクシ運転者向けの健康管理に呼吸センシングを応用したいとのことで、先行している静岡の(株)メディカルプロジェクトの協力を得てシートベルトセンサの車走行実験を行いました。が、肝心の日の丸タクシの熱意が急に衰えたので自然休止状態になってしまいました。「呼吸計が面白い」だけではだめで、ビジネスとしての道筋までつけないと前に進めません。

事業が軌道に乗るまで

これまでは、START UPとして会社組織ができるまでが簡単でないと申し上げました。START UPが出来てから事業が順調に行くまでは、更に時間がかかる場合があります。革新的な事業ほど、時間がかかることを覚悟しないといけないのでしょう。ただ、長い潜伏期間を耐えてこそ、本当の喜びが味わえるのです。

苦闘するSTART UPの例

＊脳磁計ビジネス

NICT(国立情報通信研究所)の松井先生が開発された脳磁計(MEG)は、今まで不可能と言われた脳の深部にある海馬の動作を計測できるものです。特に認知症の研究に有効であるとのことで、MACH社と共同でMARZなるSTART UPをつくりました。未だ進展はかばかしくないですが、折角作った会社ですので潰すわけにいかず持ちこたえているのが実情です。こういう場合は好機が来るのを待つしかありません。

＊Mg関連ビジネス

風水の環境関係ビジネスの開発提案が近時多くなってきました。コロナだけの影響ではなく地球全体の環境保全が強く認識されてきたことの反映でしょうか。我々にも海水淡水化装置の開発の話が来たことがありますが、中堅企業ではビジネス規模が大きすぎて、積極的にかかわることは不可能でした。

＊風力発電システム

数年前、独自の技術で大きな羽根を成型している風力発電システムを見学しました。20数年前から風力に興味を持ち、その分野で有名な足利工大を訪問したこともあります。沢山のタイプの風車が回転していましたが間欠的でしか動作しておらず、日本の国土に合った発電システムなのか、疑問を持たざるを得ませんでした。ぜひとも日本独自の技術を開拓していただきたいと思います。

START UPは若者だけでない（FINISH UP）

FINISH UP　世界初トリチウム検出法を実用化

START UPと言うと若者のことと思われがちですがそうとは限らず退職して自由になったシニアのSTART UP、言い換えれば自分のやってきた事業を完結させたい、すなわちFINISH UPも含んでいます。元大阪電気通信大の教授、日本で初めてベンチャを作った谷口先生が典型です。

人生2回説でいきますと、65歳がゼロ歳でカウント開始しますがそれでいくと先生は高校入学年齢です。実際、先生は若々しく高校生か大学生の気持ちで仕事をされているのではないでしょうか。廃炉で問題となっているトリチュウムの検出法を世界で初めて開発されました。私は福島に行くたびにお会いするのですがそのバイタリテイには感心するばかりです。

先生が自分で新しく創業された会社まさにシニアのFINISH UPの典型というべきでしょう。

大変だが放棄できないベンチャ的事業もある

川内工場のホットチャンバビジネス(HC)の売上は停滞していますが、技術陣のアイデアが乏しく、マーケット開拓力が弱いからだと思われます。

HGPはアルミ半凝固成形事業を展開している東北大発のベンチャですが、少人数ゆえ単独での成長は難しいため弊社に協業を求めてこられました。大変だからと言って簡単にギブアップしては何も生まれません。これまで膨大な資金を投入してきたことを忘れてはなりません。新技術探索の旅に終わりはないのです。

産学ベンチャを含む新たな取り組み

弊社には多くのテーマが持ち込まれていますが、約半分はアイデアだけで消えていきます。第3の会社の事業になるケースもあります。

例えば以下のようなテーマがありました。

A）養魚プラントの件

当社出資のマイクロエナジ社の依頼（餌残渣によるバイオ発電に期待）で林養魚プラントの会長、弊社社長に同行して飯館村村長以下関係者に面会しました。急な話につきどうなるか判らないこともありますがこれからの食糧危機に対応する有望産業とのことです。

B）植物工場（森久エンジニアリング）

野菜工場で生産することにより野菜に付着する菌が少なくなることで日持ちする野菜が作れます。今回の依頼は自動化です。レタスなどの葉物は日持ちしないので今後工場にて生産が増えるとみられます。

C）美顔器（YAMAN社）

同社開発部長よりナノバブル式美顔器につき方式検討の依頼がありました。この分野は当社にとっては未知分野でありますので方向性が判りませんでした。そのためエステシャン、顔表面解剖学専攻の新潟大高見女史にコンサルをお願いしいろいろ教えていただきました。

以上のような進展中の事案の中で、何件がSTART UPとして纏まり資金援助を受けて前に進めるか。そこが第1のハードルです。見通しがあれば給料をもらえるので頑張れます。しかし多くは潰えてしまいます。IPO（株式公開）までたどりつくのは更に難しい。野波先生創業のACSL（ドローン会社）は上場に成功した例で、現時点では1件のみです。有力START UPはありますが、簡単ではありません。

EV関係ベンチャ３社の紹介

EV車向けモータ開発

工学院大横山名誉教授、森下教授、のご指導のもとに、電気自動車EV車向け小型軽量を特長とするHALBACHMOTOR(ハルバッハモータ)の開発をMAGNATURE社(黄社長)が行っており、支援しています。

出力は50-100Kwと大きく印加電圧は600-700Vと高く絶縁が問題です。最高回転数は15000rpmと大変です。日本電産等多くの電気メーカが鎬を削っている分野に進出するので大変なことは判っています。高効率をめざし特殊な分野、車でいえばフェラーリの分野をめざします。この場合、モータ本体だけではだめで冷却UNIT、INVERTER、歯車装置も一体化する必要があるとのことです。

電気自動車向け小型軽量を特徴とする
HALBACH MOTOR　**工学院大学発MAGNATURE社**

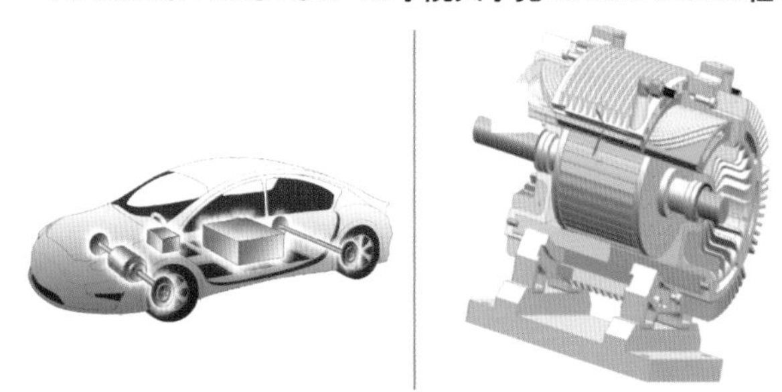

図2-2　ハルバッハモータを用いたEV

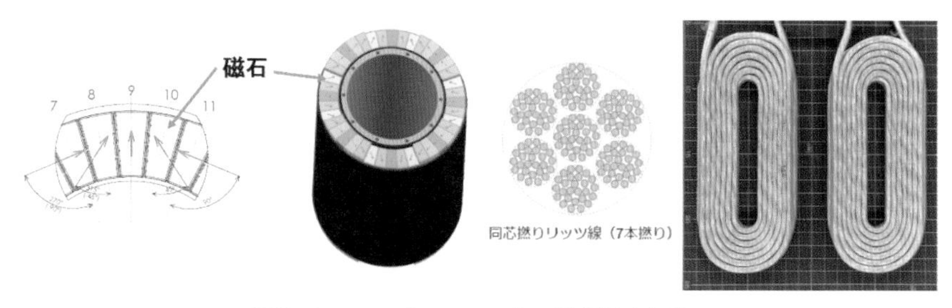

図2-3　ハルバッハモータの回転子と巻線

ハルバッハモータの難しさ、面白さはどこにあるのでしょうか。

1.強力な多くの磁石で回転体を形成するので組立時に磁石同士が干渉するので大変ですがこれを解決することです。

2.高速回転のためインバーターには100KHz程度の高周波電流を流しますのでコイルの巻き線損失を少なくするためにリッツ線(400本の細い線の集合体)を使用します。これをモールドし一体化するには細心の注意と工夫が必要とのことです。以上のような技術的な難しさを解決してこそ新しいモータが出来上がるのです。現在エンジンに関係してきた企業はEV化に向けてにわか勉強で大変ですが何らかのモータを開発していると言われます。脱落しないように頑張っていきたいと思います。

電動飛行機の開発

HIEN国産2-6人乗りeVTOLの開発。

現在、日本においても電動飛行機を開発しようとの機運が盛り上がりSKY DRIVE社やTETRA AVIATION社が数年前から開発を始めており私どもも現場を見学させていただきました。前者は豊田市の山の中にラボがあり浮上実験をされていました。後者は戸田にあった時に訪問したのですが電動ハイブリッド方式の一人乗りVTOL（垂直離着陸機）を開発されておりその姿にほれぼれと見とれました。

TETRA AVIATIONの空飛ぶドローンは、LINBACHの2サイクル4気筒、エンジンは50HP, 自重16Kgとエネルギ密度が高いハイブリッドシステムです。

SKY DRIVE社も空飛ぶ事を考えていますが現在の液体Li電池では絶望的です。Liが固体化し4倍の性能がでれば電動も可能であろうと思いますが現状ではハイブリッドしか荷物を運べないことを実感しました。

この様な情勢において法政大御法川教授がHIENというガスタービン駆動の本格的なE-VTOLを開発するベンチャを立ち上げ私どもも支援しています。

先生はすでに右図に示すE-HELICOPTERの浮上試験をされたこともあり、筋金入りの開発者です。先生は法政大の機械工学科の航空機コースを10年来推進して来られましたので世界の状況も熟知されています。何とか産業まで育成して行くことを考えていただきたいと思います。最初は1人乗りからスタートし6人乗りまでを開発したいとのことですが弊社にはモータ開発のMAGNATURE社とドローンに詳しいEAMS ROBOTICS社がいますのでタイアップし新しい需要を取り込んでいきたいと思います。

図2-4（A）HIENの電動ヘリの実験風景

図2-4（B）HIENの計画する電動飛行機

HIEN　ホームページより引用

環境関係のベンチャ紹介

近時、環境問題の重大化を背景に、エネルギ関係のベンチャの動きが活発です。例えば海洋汚染が問題になっていますが、私も長崎県の対馬まで行ったことがありますが、各種のゴミが堆積しているのを目の当たりにしました。

磁気熱分解炉

大丸製作所と環境ビジネスの事業化を始めています。有機物磁気熱分解減容処理装置についての有効性が認められ引き合いが多くなっているそうです。国もこの炉は有害なガスが出る焼却炉でなく、環境に優しい処理装置として法的に認めています。私どもも実際にガス分析を行い、CO(一酸化炭素)を含む成分は環境基準以下なることを確認しました。

この分解炉では磁気効果を使います。実験を行ったところ、磁気回路を通すことで熱分解が大幅に促進されることを確認しました。山形大の桑名教授にも基礎的試験をしていただき、磁気が燃焼に影響するだろうことを確認しました。

また、神奈川工試(海老名)に灰分分析を依頼しCa成分検出を検出しました。入れる材質により検出成分は異なりますが確かに反応出来る有機物は全部消えてなくなっています。

図2-5　磁気熱処理炉

固形廃棄物の水素化と燃料生成　MICRO ENERGY社

図2-6　世の中はゴミの山でいっぱいです。
これを処理するのがMICRO ENERGY社です。

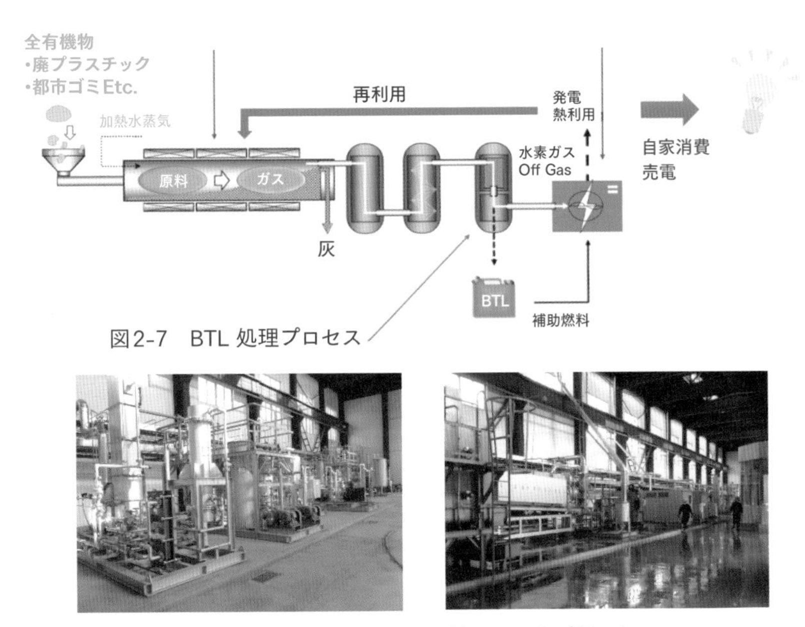

図2-7　BTL 処理プロセス

図2-8　MICRO ENERGY社のテストプラント

環境とエネルギに取り組んでいるマイクロエナジ社の橋本社長とは長い付き合いです。山梨でごみ処理プラントを見せていただき、運転されているメンバの方々から説明を受ける機会がありました。

ロータリキルンにプラスチックゴミを入れて高温水を噴射した部屋に通しますと、水素化反応が起こります。そのガスを水に通して不純物を除去してきれいなガスになるそうです。室外で回転していた50Kw位のジーゼル発電機ユニットのエンジンにガスを入れ、燃焼させるとの説明を受けました。お話を聞きながら、昔いた日立研究所の11部の石炭ガス化プラントを思い出したものです。

ME(マイクロエナジ)のプラントは山梨が1台目で小型モデルとのこと。その後全国をまわって20倍の徳島モデル(100Kg/hr)と鹿児島モデル(100Kg/hr)の実用化を目指してきたと知り、橋本社長のアイデアと執念に感じいりました。他にも大きい話として、例えばミヤンマからの10万頭分の牛糞プラントや農業ゴミの案件がありましたが、いずれも進展しませんでした。

その後ニュージーランドから大きな話が舞い込んできました。これはかなり具体性のある話で処理能力3トン/日のプラントの話です。先方の実業家がニュージーランド近傍の島へ療養に行った際、海洋ゴミが多く休むどころではなかったとのこと。そこでライフワークとして、島嶼の海岸ゴミを処理するプラントを普及させようと考えたというのです。

調査の結果日本のWTEが良いとの情報を入手し、先月来日してプラントを見学されました。WTEはごみから無公害の液体燃料も生産できます。とくにジェット燃料として注目されています。公的な仕事のため政府の支援を得たいとのことで、少し時間がかかっていますが、結構な引き合いが来ているという事です。

その他遭遇した面白いSTART UP例

福島SIC社のBNCT装置

福島SIC-BNCTは、ROHM社の高圧SIC技術の応用として、かつ医療応用としてガンの制圧のため構想されました。横型のSIC装置は先方の概念設計をわがメカトロ研が組み上げたものですが、当時の担当部長以下の努力に対して敬意を表する所です。大規模な装置で数台製作しました。完成品を見学した時、小動物に対して有効性を調べると聞きました。その後の進展はわかりませんが、人間への評価までには至っていない様子です。是非実用化してもらいたいと思います。

BNCT装置に関しては、他にも瀬戸先生が導入された住友重機のサイクロトロン式装置を見学したり、豊田先生に大阪大学のBNCT装置を紹介していただいたり、瀬戸先生に同行して名古屋大の新装置を見学したりしました。どれも未だ検討段階で、成功にはまだ時間がかかりそうです。

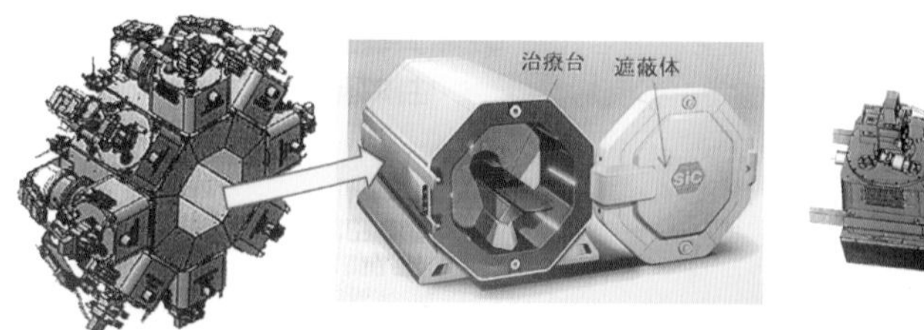

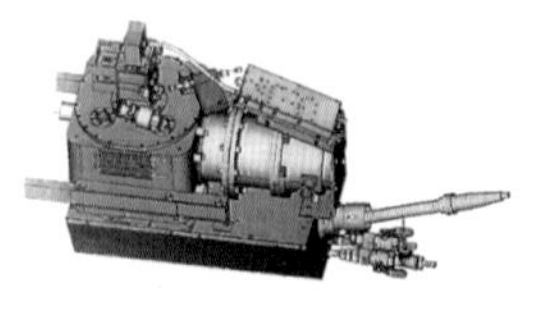

図2-9　SIC-BNCT
福島応用高圧SIC研究所ボロンが集まったがん組織を中性子で破壊する装置

大動物実験機の患者(人体ファントム)位置

患者据付時
(遮蔽扉が開いているとき)

治療照射時
(遮蔽扉が閉じているとき)

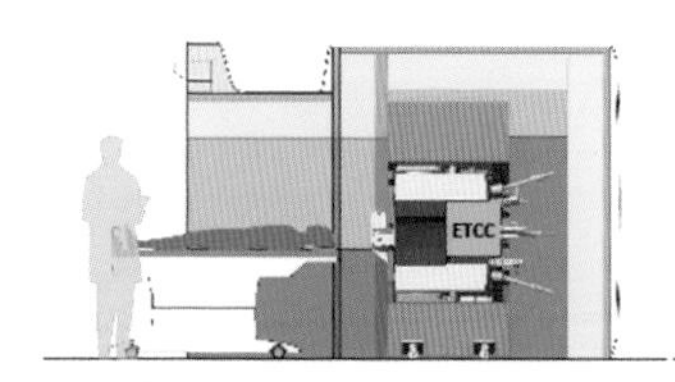

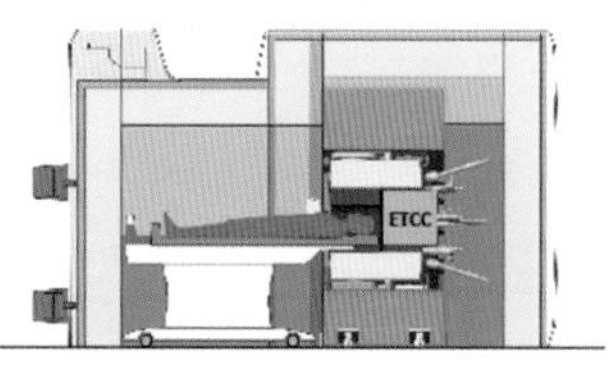

楢葉工場BNCT研究棟に設置する臨床試験機(大動物実験機)では、
脳腫瘍治療照射のみを可能とする機器設定でもOK

図2-10　BNCT 臨床試験機

遮蔽扉が開いているとき

遮蔽扉が閉じているとき

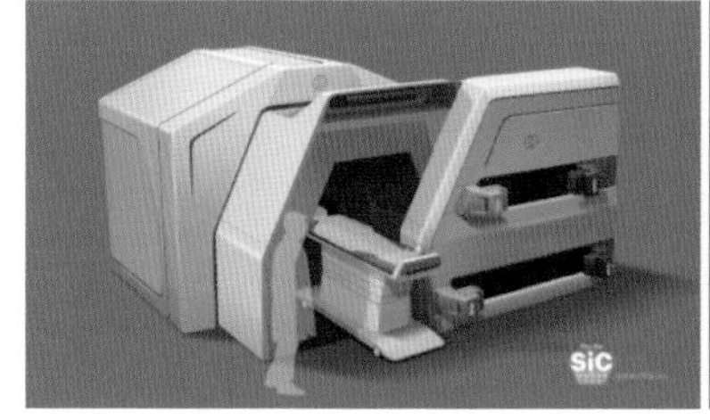

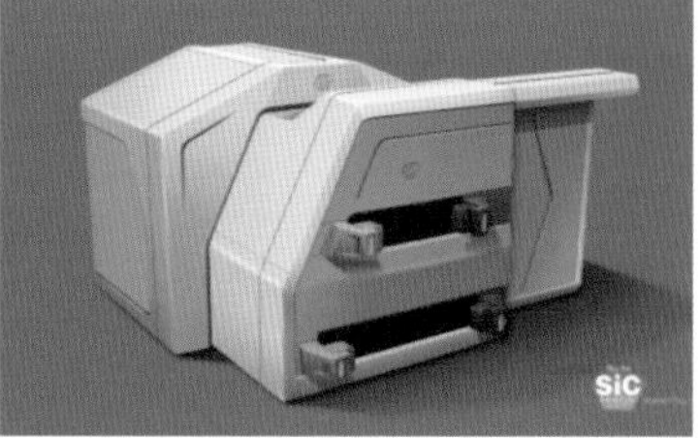

図2-11　大動物実験機の外観

この装置は将来有望とのことで全面的に協力し福島SIC社も頑張られましたが今後どのように実用化されるか興味を持って見守っているところです。

新たな復興をめざして
START UPからFINISH UPまでの町づくり

ヘルシースマートインダストリタウンの複合計画

東北大震災から10年が過ぎたにもかかわらず、福島浜通り地区は未だ復興せずの状態で、若い人は帰ってきていません。この状況を心配した当時の復興大臣から弊社に「シニアの方々を集めて地域を興す手はないか」との検討依頼がありました。

同じ浜通り地区といっても地域差があります。例えば浪江町は東洋1の水素ステーションがあり、国際研究拠点も設置の予定ですので、ある程度の産業集積ができ人口も集まることが予測されます。問題は原発に一番近い所に位置する双葉と大熊町で、現在は廃炉関係しか仕事がなく、なにか手を打つ必要があります。

そこで双葉大熊(広域双葉)地域を対象とし、「ヘルシースマートインダストリタウン」、シニア活動特区(人生100歳時代のSTART UPからFINISH UPまでの町づくり事業)を提案しました。

福島に隣接する東北大には川添先生(シニアリサーチフェロー)が社長の名誉教授.COMなるベンチャがあります。登録されているアドバイザは電子科学、計算材料学、材料科学、画像処理など13人の名誉教授です。ここと連携することは、東北大全般がバックにいるということなので、今回の提案に対し大きな支援になります。

復興庁の提案する国際教育拠点は廃炉研究部、ロボット研究部、農林水産研究部、放射線安全健康研究部、エネルギ研究部の5部門から構成されます。これから5年くらいの時間を経て本格的な研究機関に成長していくものと思います。まさに国家100年の計で動くということです。

これに連動して国際シニア研究開発拠点を作りたいと思います。まず日本から、ゆくゆくは世界から「稼げる人」を集めます。本当は出来る人ならば誰でも結構と言いたいところですが、運営は将来的には自前でやりたいので「稼げる」という条件を出しています。例えば資金を得てSTART UP事業を立ち上げ、将来的には自立するということです。

今われわれが現に行っているSTART UP事業を、志半ばで退職になったシニアの方々にまで広げて、ワンモア START UP事業を起こしたい。第2の人生が退職から始まると考えれば、FINISH UP事業と言った方がぴったりするかもしれません。

私のまわりにも続々と、何かやりたいというシニアが現れています。大企業の研究者は、現役時代に取り組んでいたテーマをなんとか継続しモノにしたいと思い、悶々とした日々を送っています。大学の先生方もまたしかりで、退職で気が抜けて急に元気をなくし老けてしまいます。研究者だけでなく、志のあるシニアは何とか社会との接点を持って、社会に貢献したいとの気持ちが強いと思います。

最初の資金を得られれば、FINISH UP事業は立ち上がります。マネージメントの仕方は若手中心のSTART UPと全く同じで、特別なことをする必要はありません。このシニア事業が立ち上がり発展すれば若手も魅力を感じて加入してくるでしょう。しかし、都会には沢山の仕事があるので、若者は過疎に近い浜通りには魅力を感じません。そこをあえて来てくれというのですから、まずシニアにお願いしますということです。

シニアは仕事があれば国の要請に応じて浜通りに来てくれるだろうとの仮定です。名誉教授.COMの方々がその先兵となり、福島応援隊となってアドバイスをくださることは大変有難いことです。まずそのアドバイスを得てシニアの健康福祉介護用のロボット開発をし、その製作工房を作りたいと思います。

そのためにはまず弊社の東京ショールームの拡大版が必要でしょう。これを踏み台としてシニアの3つのFINISH UP事業を推進します。

3つのFINISH UP事業

健康で安心して住める街づくりから稼げる町へ　3つのFINISH　UP事業までの展開

A)心の健康(メンタルヘルス)

B)体の健康(フィジカルヘルス)

両面のケアを充実させないと誰も来ません。安心して住める環境づくりをするのが大前提です。

C)FINISH UP事業の規模1000人

移住する人は寝たきり老人ではなく、定年後の人生を充実して生きたいという前向きの気持ちを持ったあらゆる機関の退職者とその伴侶が主体となると予想します。

そのために経験に裏打ちされたシニア主体のFINISH UPビジネスを展開する必要があります。

初年度は100人規模から最終的には10年で毎年100人移動として1000人規模ビジネスを目標として計画します。

仕事があれば、面白ければ、人は集まります。

1000人移住計画も最初の1人から。自分がリーダだと思えるならばもっと集まるでしょう。

1000人移住計画も最初の1人から
仕事があれば、面白ければ、人は集まる、自分がリーダだ

仕事が面白ければ歳に関係なく人は集まる。谷口氏（未来技研　77歳、元大阪電通大教授で大学発ベンチャ1号を創立した）は大阪の自宅から飛び出し数か月もホテル住まいの研究生活。弊社南相馬工場にて喜々として開発業務に励んでおられる様子。

図2-12　谷口先生の研究活動

福島県双葉地域に展開する4つの主要事業

電動バイク事業

新開発のモータを使用する電動バイクの量産工場立ち上げ。初年度1000台から10年後10万台を目指してモータ工場、組み立て工場を稼働させ第2の浜松にしたいと思います。

従来の電動バイクの問題点；モータにトルクがなく、かつ速度も遅く坂道は登れず魅力がありませんでした。結果としてエンジンバイクに勝てませんでした。今回の電動バイクはモータ外付けで4段ミッションを有し低速トルクが大きくなりましたので坂道を楽々登ることが出来、70 Km/hの高速性も実現しました。メンテナンスも要らないある意味では夢のバイクです。世界に億単位の市場があると聞いています。

EVに比較して工場ラインは簡素、建設費は低廉でシニア層でも楽に作業できます。10万台生産の場合、売上100億、人員100人規模で住宅、工場建設の投資が必要となるでしょう。

EV用ハルバッハモータ事業

この事業は本格的なEVに適用できるハルバッハモータと称する50Kwクラスの本格的モータの開発でありMAGNATURE社(工学院大横山名誉教授)が開発担当です。事業化には少し時間がかかるが極めて有望な事業であることは大方の認めるところであります。

ロボット関係事業

モータと直接関係ないですが先端ロボット分野においては下記2社がありスマートバイク事業等の生産ラインの自動化等については支援できる体制にあります。

下記がこの例です。

FUTURE ROBOTICS　先端ロボット(早稲田大　山川名誉教授)
SOCIAL ROBOTICS　搬送ロボット(東京大　佐藤名誉教授)

健康産業スマートヘルス事業

高性能脳磁計。

認知症(DIMENTIA)が高齢者最大の強敵です。これに対して病の根源を成すといわれる海馬の働きを計測できる世界発の超高性能脳磁計がNICT(製造元は住友重機)により開発されましたが、実用に至りませんでした。今回これを使用し脳内情報伝達を探り認知機能の計測を可能にするべく東北大学医学部と協力し実用化を図るべく計画しました。

図2-13
モバイル全頭型SQUID脳磁界計測装置

東北大はこれを地域住民の患者様の診断に活用したいとの意向であり、将来的には世界の脳科学者もここに集結することも期待されます。超高性能脳磁計と簡易型脳磁計の開発と生産を計画します。

健康産業ロボット分野

弊社関連支援企業（大学発ベンチャ10社）のうち次の6社が事業支援します。

A) ヘルステクノロジ社健康管理機器システム
（早稲田大 藤江名誉教授）
B) INOPHIS社マッスルスーツの開発販売
（東京理科大 小林教授）
C) WALK MATE LABORATORY社 歩行支援機器
（東京工業大 三宅教授）
D) TCC MEDIA LAB社VR,AI利用医療機器開発
（電気通信大 田野教授）
E) SAFE APPROACH MEDICAL社歯科ナビゲーション
（九州大学 橋爪名誉教授）
F) MARS社脳磁計の運用と応用、認知症予防
（東北大 目黒教授）

クリーン磁気熱処理炉（燻焼炉）

小規模の廃棄物処理としては水分があっても大丈夫な（蒸し焼き型）、100-300Kg/日を大丸製作所の開発に協力しました。とくに廃炉で溜まっている膨大な防護服等の廃棄物の無公害処理に有効と思われます。

バイオマス発電事業

MICRO ENERGY MANUFACTURING社が1トン/日の 廃棄物を水素ガスに変換し燃料電池のガスあるいは発電（バイオマス発電事業）にできる車載システムを開発しました。

これをWTE(WASTE to ENERGY)と言っています。現在このシステムは島嶼地域の廃棄物処理システムとして注目されています。資金調達さえできれば大規模化して事業拡大できますので、双葉地域で展開でき

たら良いと思います。

図2-14　山梨のWTE 実験所　WTE 装置

第3章

いばらの道
ホットチャンバー技術に挑戦

独創的ものづくりとはなにか

安い安いと言って日本の技術は全部海外に行ってしまいました。こんな情けない、悔しいことはありません。

日本は空っぽになり製造業はやることがなく、中小企業は疲弊しきっています。もう1回ものづくり日本に戻せないかとの思いで新しい鋳造業、アルミダイカスト、ホットチャンバーに挑戦しています。

これは難しい大変な事業ですが、最後の一人になるまでやり抜く決意です。安易に流されていては、日本の総合力ランキングは下がるばかりゆえ、現実を認識して若者の奮起を求めたいと思います。

私は日立で青春を過ごし多くの開発者の生きざまを見てきましたが、その方々に共通するのは会社組織という権威に屈しない各個人、個人の強烈な自己実現意識でした。いつの時代、どの組織においても現状維持のメンバ、言い換えれば出た釘になりたくない層が大半です。そこに一握りの挑戦者が現れ、がむしゃらに自己の意見を開陳し推進していくのです。

油圧エレベータ時代には渡辺課長という検査出身の熱血漢がおられ、素人の私に油圧のイロハを教えてくれ油圧制御バルブを分解してみせてくれました。こちらのミスもあったでしょう、油もれや噴出がしばしば発生しましたが、その場合でも一緒に汚れた床を掃除して励ましてくれました。この渡辺課長のおかげで油圧エレベータの技術は向上。新皇居へ納入に行ったことも楽しい思い出です。

圧延機時代には、世界で初めて油圧圧下装置を構想され油圧で鉄を作ることを実現された日立工場の梶原技師長に大変お世話になりました。こちらも調子づいて益田君、木下両君と組んで新しくフォースモータ型を開発し、世界の鉄鋼プラントに貢献出来ました。その過程で思い知ったのは秀才がモノを開発するのではない、何か充たされない心を持った、強い意志を持った者が開発者になるといった事実です。

次の日立建機においても全く同じ経験をしました。私は当時の土浦工場の安倍技師長に油圧新技術について薫陶（くんとう）を受けました。安倍氏は日本で初めて、世界で初めてかどうかは微妙ですが、機械式ショベルを油圧式に革新された方です。

当時の工場の設計の主流は、油圧については「あんなものはものにならない」と冷たかったというのです。そのような反対をものともせず、開発を成功させ現在の油圧時代の幕を開かれたのです。しかし安倍技師長はほどなく病を得て会社を去られました。まさしく挑戦者としての一生でした。

私の日立時代はこのような挑戦者があらゆる分野に現れ、百花繚乱の観を呈しました。実に楽しかったです。当時の日立では自社の養成学校(専修学校、茨城専門学校)、工卒、高専卒、大卒間のバリアは特に大きいという感じはせず、実力主義であったと思います。日立研究所、機械研究所といったモノを扱う研究所は、実物主義で油まみれになるのは当たり前でした。現在の、実験を忘れた計算機シミュレーション全盛時代では、日本再生などおぼつかない。やはりモノに肉薄してこそ次の時代が開かれます。

例えば2021年における世界の企業時価総額をみてみますと、

1.アップル　3.マイクロソフト　4.アマゾン　6.フェイスブック　9.テスラ　11.台湾積体電路製造　13.サムスンエレクトロニクス　14.ジョンソンジョンソン

38.トヨタ自動車　39.インテル　47.ファイザ　48.ナイキ(アメリカ35社、中国5社、日本1社のみ)となっています。

私が日立にいた時代は　日立、東芝、三菱重工、NEC、ソニー等が轡を並べて入っていました。これらはすべて凋落し寂しい限り、かつてのものづくり強国は今いずこと言いたくなります。

日立重電製造の中心、日立魂の宿る日立工場に、三菱重工のマークが翻る時代です。IT企業に変貌するとのことですが、大企業のものづくりはどうなるのでしょうか。もう一度企業の原点、スタートポイントに戻るしかないでしょう。

例えばイスラエルはSTART UP国家と言われ人口900万人、日本の四国程度の国ですが、アラブの国に囲まれています。だから自己主張して己を守る以外、国は存続できません。その状況だからこそ、世界トップの技術が続々と開発されていると思います。我が国もイスラエルと同じような状況になってきた面があるかもしれません。

技術の世界において、各自が気合を入れ直し、独自の技術を開発することに思いをいたし、世界をリードするのは我々だとのパイオニアスピリットを奮い立たせることを若者に求めたいと思います。

今回ここで扱うのは日本が得意とする材料技術の一環、アルミダイカスト技術ですが、現実はどうかというと若い人は興味を持たず先はお寒い限りです。10年前には東北大にも研究室がありアルミダイカスト実験装置もあったのですが、後継者がいなかったせいか研究室がなくなり今や研究者もいなくなったというのです。勿論、早大、山梨大、ものつくり大等には今も研究室がありますが、専攻する教授が退官するかあるいは後継者がなければ、また研究室はなくなってしまいます。これに類する現象が各大学で起こって来るのではないかと恐れています。

またアルミ溶湯を扱うにはセラミックス構造体が必要ですが、成形できる企業は少なく、これを研究している大学研究室もありません。さらに大企業も、先の見通せない技術に対しては取り上げる姿勢がなくなっています。昔の日立ならチャレンジしたかもしれませんが、ものづくりを忘れた現状では話になりません。自分でやるしかないのです。本書を読んだ若者または若い心を持ったシニアに期待するしかありません。

今までのものづくり

福島工場（飯館村にて震災時から今も一貫して操業）

多様な加工技術と一括一貫体制・Package solution by KIKUCHI

最先端の技術の追求と、匠の技の向上・伝承、幅広い基盤技術により、自社内での「設計から量産製造段階」まで対応する「一括・一貫体制」を構築しています。

図3-1　弊社福島工場外観と内部の一例

上記左は福島工場の全景で右側はその工場の内部です。この工場が東北大震災で消えそうになった村を再建する原動力になったのです。当時、役場も村民も被ばくを恐れて全員が村から退避したのですが従業員が工場を守り操業を継続したのです。

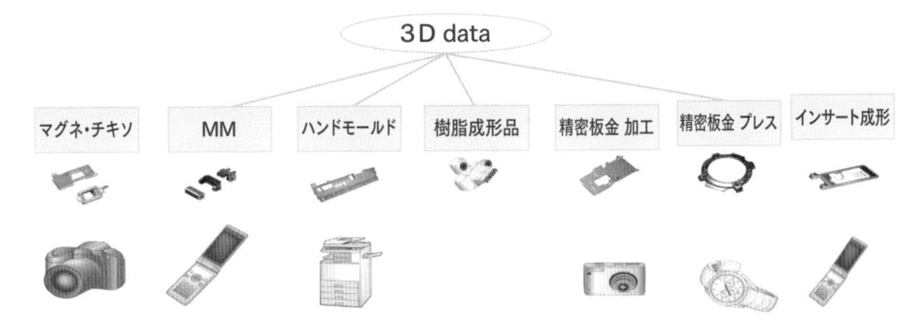

図3-2　弊社の生産する情報家電機器

図3-2に示すごとき電子情報機器の部品試作を行ってきましたが、近年この分野は海外にシフトし、国内需要も減少しています。新しい取り組みが必要になってきています。

ハイブリッドプレスと順送プレス

ハイブリッドプレス

下図は工科大時代、山城精機の協力を得て開発したハイブリッドプレスです。油圧の大出力と電動の高精度な位置決め特性を複合した画期的なものと自負しています。

図3–3　開発したハイブリッドプレス

最初に左側の150トンプレスを制作し、大変好評でしたので、続いて右側の300トンハイブリッドプレスを作りました。これは複合した大型構造物になりましたので剛性が下がり使い勝手が若干低下したと聞いています。

折角ですのでこれらのプレスの動作原理図を図3-4に示します。

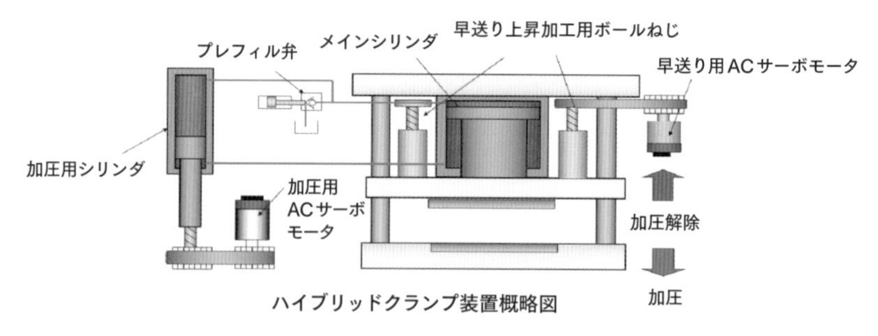

図3-4　ハイブリッドプレスの動作原理

順走プレス

図3-5　プレス工場とプレス製品

このプレスは過去の日本においては最も普及したタイプです。私はかって日立研究所金属5部の朝日所長のお誘いでアイダエンジニアリングの顧問をしたことがあります。そこでプレス技術のすごさをさんざん見聞きしました。特に展示室でプレス加工のサンプルを見たことがありますが、その数の多さに圧倒されました。いかにこの技術が産業の基盤として活躍しているか、頭の下がる思いでした。

無味乾燥と思われ、一見若者に敬遠されるようなプレス加工は、やってみると実に面白いのです。こういうことはいくら塑性加工の本を読んでも判りません。現場で技術者のナマの声を聞いて初めて会得するものではないかと思います。

下図は手持ちの6軸パラレル機械を使用した実験です。6軸のヘッドは力センサ付きでその先端にはニードルを取り付けています。そのニードルを動かして線加工してみました。

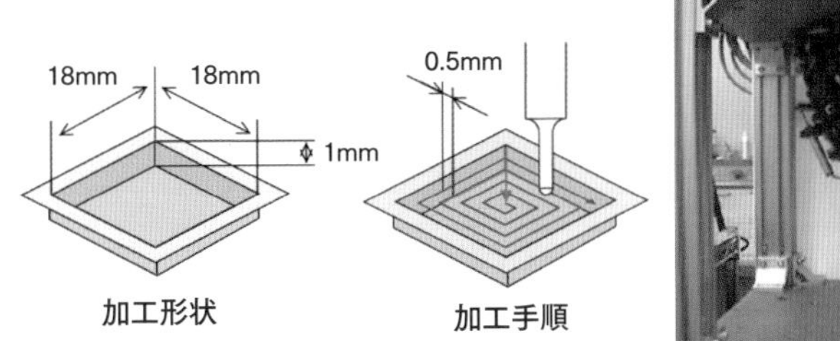

図3-6　パラレルリンク式のインクレメンタルフォーミング

その結果を下記に示します。小さな荷重でもスキャンすれば大面積の加工もできることが納得できました。

線加工

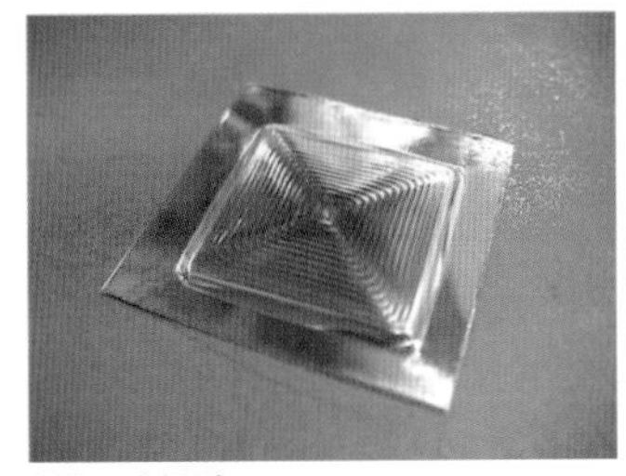

線加工（裏面）

図3-7　インクレメンタルフォーミング加工例

次の図はこの発想をさらに広げたものです。上下に6軸パラレルリンクを配置しその間に板を入れればもっと複雑な3次元加工が出来るであろうと思います。例えばカメラのケース程度なら複雑な金型なしで十分出来るのではないかと思います。

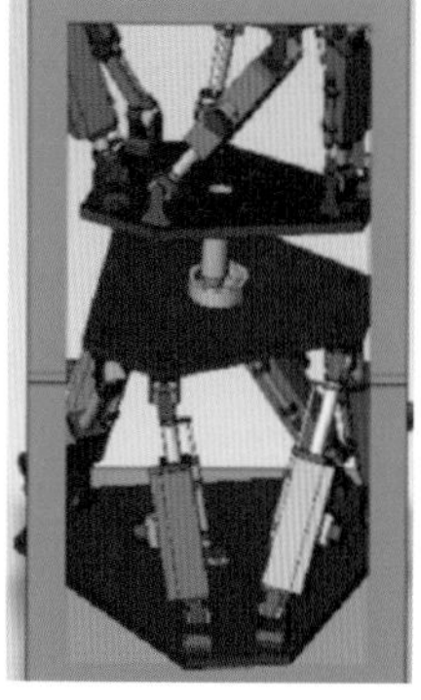

図3-8　6軸パラレルリンクを上下に配置したインクレメンタルフォーミング機械の構想

板金加工　薄板を曲げたり孔をあけたりする

携帯電話、デジタルカメラ、音響機器、事務機等の内装および外装部品の加工に用いられます。

最新鋭の工作機械で高い加工精度を実現します。

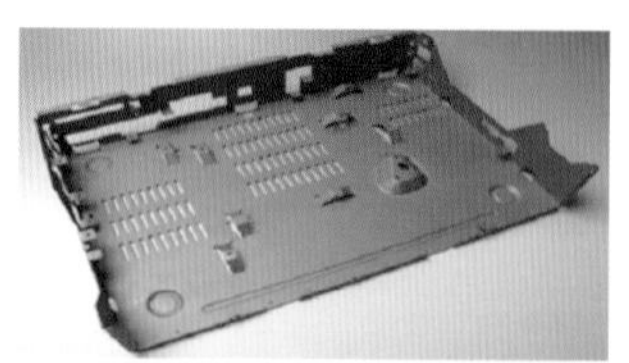

図3-9　板金加工とその加工例

射出成形加工

これは金型に樹脂を射出して形を作る加工法を意味しプラスチック成形とインサート成形があります。ほとんどのプラスチック製品は皆この方法で生産されます。

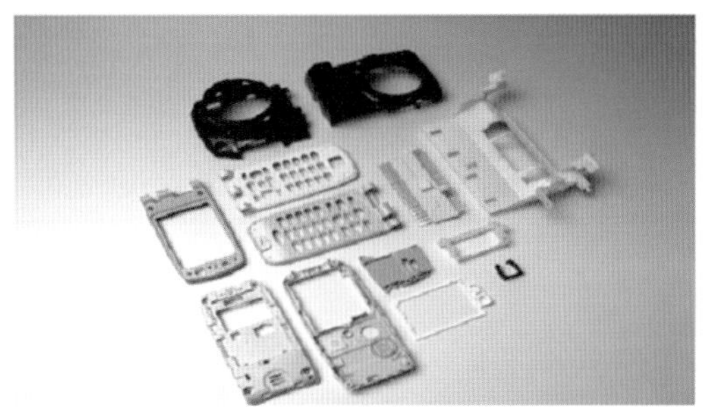

図3-10　射出加工機と加工

ちなみにこれらの製品は、一匹狼の発明家、開発者が作り出すことが多いです。わが国にはそういう人がたくさんいますが、技術は継承されていくのか心配です。

このような方は自分の信ずる目標に向かって独自に進みます。もちろん私どもにアドバイスを求められることはありますが、基本はマイウェイです。孤独な修業僧のごとく思えますが、人間とは元々そのような資質を持っているのかもしれません。群れて開発することに慣れてきた私の様なものだけでは、技術開発は不十分なのでしょう。

金型製作　硬い鉄鋼材料に精密に加工する　量産に必須

金型はプラスチック成形にもアルミの成形、アルミダイカストにおいても量産に必須なものです。いずれの場合にも高圧に耐える必要がありますのできちんと硬い金属、鉄鋼材料に精密に加工する必要がありま

す。出来た金型を成型機に入れて製品を作ります

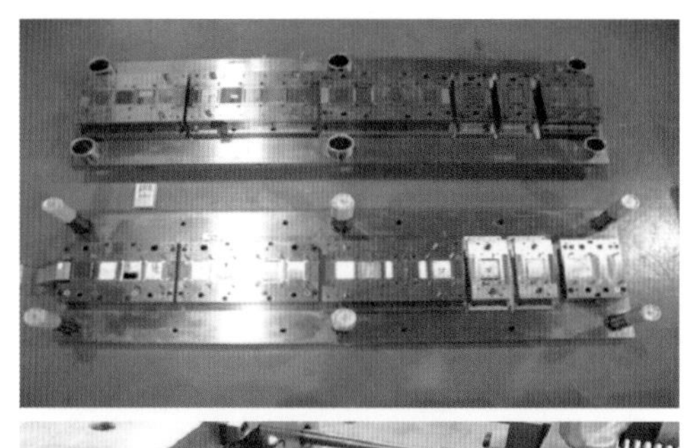

図3-11　金型とその成型機

最近取り組んでいるものづくり

I-PHONE筐体開発の試み

かつての栄光は今どこに！ 日本の情報家電技術、半導体技術、ものづくり量産技術はほとんど中国に行ってしまいました。中国の低賃金を利用したI-PHONEの大量生産ー切削加工技術は今や芸術品に達し、日本はプラスチック製の粗悪品を作っていると揶揄される状況です。

しかし、われわれにはホットチャンバーという鋳造技術があります。これで大量生産すれば削るより安くなるだろうと考え開発を始めました。

携帯の生産台数は中国を中心として世界全体で5億台/年ぐらいあるといいます。これを半分でも日本で作れれば日本の中小企業も忙しくなります。この危機をどうクリアするか、これからも試練は続きます。

図3-12　携帯機器の組立地　中国の深圳市(SHENZHEN)

私は先年携帯の本場と言われます中国の深圳市(SHENZHEN)を訪問しました。上記写真はホテルから見た同市の中心街で、多くの高層ビルが立っていました。この町の一角に電子市場と言われる場所があり、いろいろな電子装置が販売されています。私が案内されたのは携帯機器、I-PHONEを組み立て販売する場所でした。

数百人の若い人が部品を組んだり、電子回路を調整してI-PHONEを組立したり販売しているのを見てさすがに驚きました。物量作戦になったら中国には敵わないとの思いでした。事実、アップルの携帯筐体一つを取ってみても、正規品と非正規部品があって、一見して区別しがたい製品が流れていました。で、電子市場では値段に差をつけて販売する、という芸の細かいことをしていました。

図-13　深圳市の電子市場

図3-14　電子市場で購入した携帯筐体のケースの表と裏

図3-14は深圳市電子部品販売店にて購入したものです。数千の店員が携帯部品を組立ています。ここでアップル、中国ローカルの携帯部品ビジネスが展開されています。

上記はアップルのI-PHONEの裏表、アルミ板の切削加工品で裏側には明瞭に切削傷が残っています。なるほど日本の工作機械メーカが中国に工場を作るわけです。

I-PHONEの生産台数は1億を軽く超えるレベルですので工作機械の台数もすごいです。私はかって鴻海の深圳市にある加工—組立工場を見学したことがありますが、工場の従業員は30万人いると聞いてびっくりしたことがあります。その時は弊社東莞工場から車をだしてもらい、厳重な管理下にあるゲートをくぐり世界最大の工場とはどんなものか興味津々で入りました。中川東大名誉教授のお弟子さんが案内してくれました。

工作機械がたくさん並ぶ金型工場を見ました。前宣伝が凄かったのでそんなに驚きませんでしたが、やはり日本の工場とはスケールが違いました。確かに広東空港から東莞に向かう道からは巨大な工場群が続々現れますが、その時に始めて中国が世界の工場と言われる所以が納得できました。鴻海の創業者は台湾出身の企業経営者で、日本の技術で成長し、中国本土で爆発的に成長したと聞いています。その果敢な企業家精神はどこから来たのでしょうか。

携帯も最初は日本で誕生し、ある程度のビジネスとなり国内で普及していました。が、スケールの大きい中国ビジネスについていけず、完全に中韓に席を譲ったという歴史を知るとき、名状しがたい脱力感に陥ります。自動車産業は踏みとどまったのに、なぜ携帯を中心とする電子企業が中国にいとも簡単に飲み込まれたのか不思議です。いくら反省しても、これまでの技術では勝てないでしょう。それではと新しいホットチャンバーというダイカスト技術でこの筐体を作ってみようと考えたのです。

HEAT SINKの開発の試み

EV時代になりエンジンが電動モータに切り替わりつつあります。まさにエネルギ駆動革命です。エンジンのパワー密度は大きくモータがそれに代わるのは容易ではありません。EVモータのパワー密度を上げるには電圧を高く(600-700V)大電流を流すので、大量の熱が発生します。コイルの冷却、さらに駆動用インバーターも熱を持ちます。もはや空冷では不十分で水冷ヒートシンクが必要となってきました。

航空機モータでは当たり前ではありますが限定的需要です。EVは数が違います。このためヒートシンクの需要が増大し、冷却性能のすぐれたより薄肉のFINが求められるに至りました。従来の加工法は単純な形状ならば押し出し、あるいは更なる性能向上を狙った特殊な切削法が主流であり量産性のあるダイカスト 法はあまり注目されませんでした。

ヒートシンクのマーケット

車関係に膨大な市場があるとのことで、例えばM化学は16億の設備投資をされたとお聞きしています。EV関係ではヒートシンクの単位は6万個であり、100万個/月の需要ありとのこと、車の形状に合わせるため押し出し成型に合わない分野があります。ほかにパソコン、情報機器分野もあります。

以上のごとく市場は大きいので、これに対応するには現在の機械を量産できる専用機に変換する必要があります。専用機の価格は徹底的に安価にすることが必要です。そうして我が国で生産することを考え、どうしても価格が合わない場合には第3国に委託することになります。車向けのヒートシンクの一例を示しますがA6063押出し材でピッチが短いこと、またフインが薄い割には高いことが見て取れます。

図3-15　ヒートシンクの構造

機械加工によるとピッチが短い特殊な場合、紙のように薄い、例えば0.14場合においてはかんなをかけるように加工する方法があります。このような特殊加工法は価格が高く実用に難があります。PITCHをある程度大きくすれば量産性のあるダイカストが適用できます。例えばP=0.4, h = 8mmならばシグマσ (tongue ratio h/p)=20となります。 もしシグマσが20より大きくできれば技術開発は成功といえるそうです。

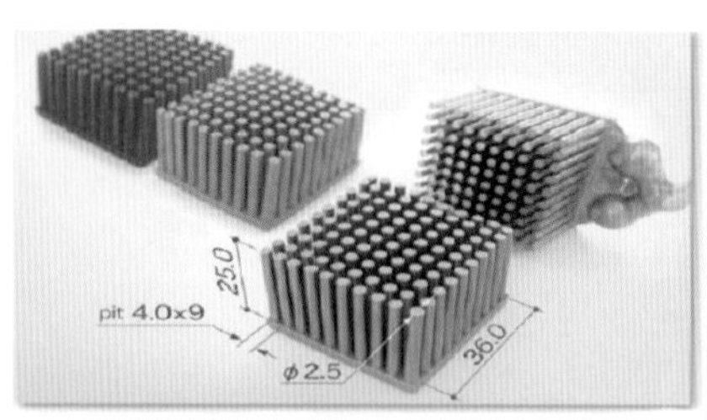

円柱・細ピッチ・深抜き・カラーアルマイト

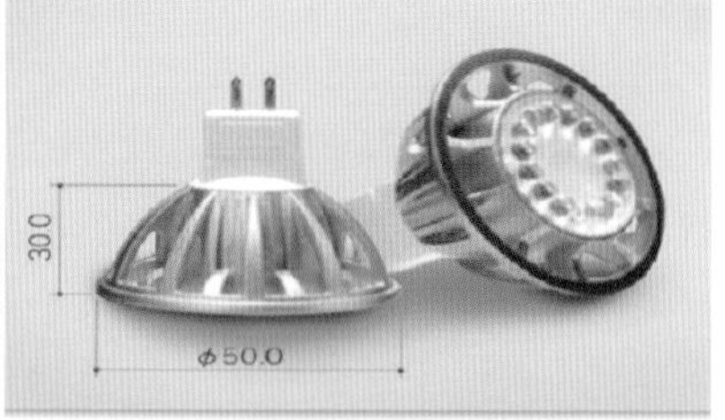

LED照明ヒートシンク

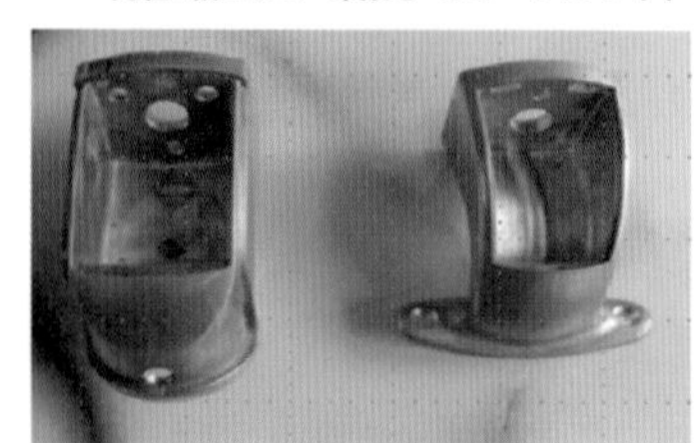

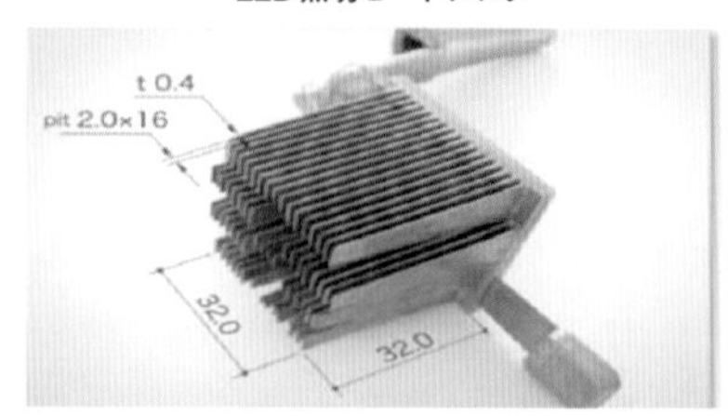

図3-16　ホットチャンバーで鋳造したヒートシンクの例

上記写真に今まで鋳造したヒートシンクまたはそれに近い形状をしたサンプルを示していますがきわめて薄く長いフインまで鋳造できることがお判りいただけると思います。しかしこれらの材料はHT-1,ADC-12のごとくSiの多い鋳造合金というものです。

ホットチャンバー開発物語

ホットチャンバーとは

日軽金の三木氏が発明された難しい技術です。弊社は10年前にこの技術を買い、開発に挑戦することにしました。

APPLE携帯筐体は中国で切削加工で量産されていますが高価です。これをホットチャンバーで置換するのを目標としました。

実用化までの道のり半ばで奮闘しましたが未だ成功せずで中途半端になっていますが技術開発とはいかなることかを説明したいと思います。

ホットチャンバー川内工場

右に示しますのはアルミホットチャンバダイカスト事業を行う福島県川内村にある工場の全景です。この工場は2012年、高校の跡地に建設しました。

川内村の遠藤村長は飯館村の菊池製作所福島工場をご覧になり、村には工場が必要だと思われていたそうです。東北大震災後、実現の具体策を私どもに相談に来られました。

そこで我々は、ホットチャンバー工場を提案したわけです。

その後2回にわたり大型の国の補助金を得て、ホットチャンバーの革新を試みてきました。その試みは急に新事業に成功したというわけではありませんが間違いなく技術革新に寄与しています。

図3-17 ホットチャンバーの川内工場

図3-18　川内工場内景とホットチャンバーダイカストマシン

この写真は工場の内部で沢山のホットチャンバーダイカストマシンが配置されています。個々の機械は右の写真のごとくで700度のアルミ溶湯を保持するポットと油圧加圧機構から構成されています。

ホットチャンバーはアルミ溶湯の中にセラミックス製のポンプ機構を内蔵しています。以下に示しますような部品で構成されています。すなわち、プランジャ、主筒、ホルダと枝筒の4部品で全部セラミックス製です。

A)セラミックプランジャ

B)セラミック枝筒

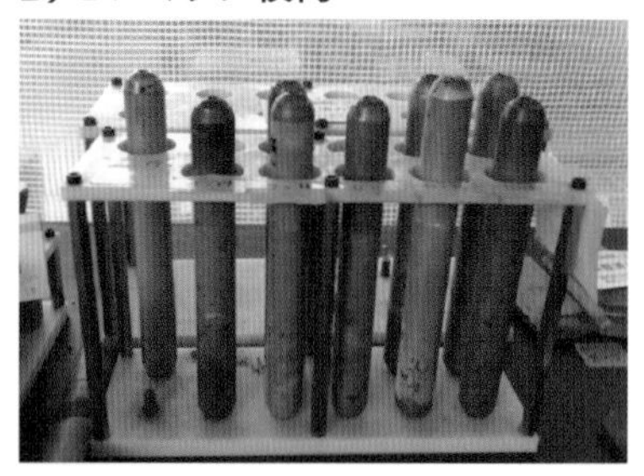

C)セラミックホルダ

図3-19　ホットチャンバーのセラミック部材

ホットチャンバーとは何か

アルミダイカストとは溶かしたアルミを型に入れて鋳造する技術です。コールドチャンバー(冷たい部屋)CC方式と我々しか取り組んでいないホットチャンバー(熱い部屋)方式HCの2つがあります。

コールドチャンバー方式(CC)

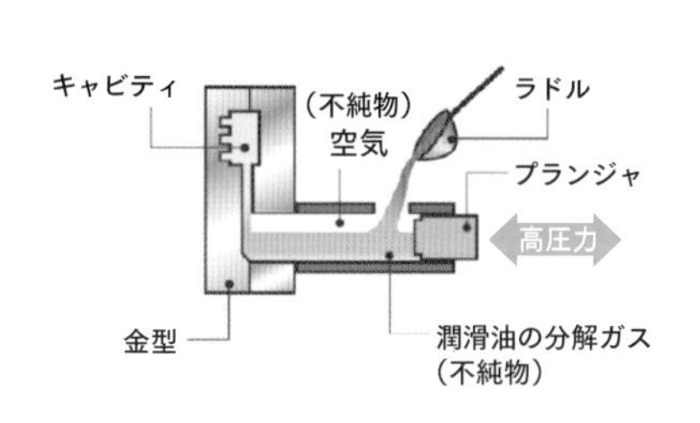

ホットチャンバー方式(HC)

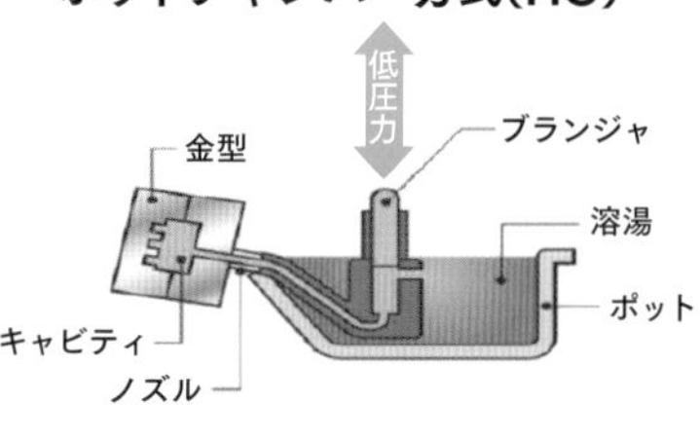

高温の溶湯内での射出方式。
大きな射出圧力を要せず
金型に無理なく流し込む事ができる。

図3-20　コールドチャンバー(CC)とホットチャンバー(HC)の比較

コールドチャンバー(CC)方式

これはラドルで溶かしたアルミを常温の加圧ピストン部に入れて型に押し出す方法です。

加圧ピストン部は瞬間的に高温になるだけですので金属プランジャが使えますので簡単です。ただし、押し出すときにエアが混入しやすく、かつ金型に入るまでに冷却されますので高圧が必要となります。現在の主流技術で大型エンジンケースから小型部品まで盛んです。

ホットチャンバー(HC)方式

加圧ピストン部を溶湯アルミに全部浸漬しそのまま型に押し出す方法。溶湯アルミの潰食作用が強いので金属ピストンは使えず高価なセラミックスを使わざるを得ません。

しかし将来は判りません。新しい手法でセラミックスと金属の4次元造形ができ、耐食性の良い強靭(きょうじん)な構造が出来る可能性はあります。セラミックスは高価のみならず割れやすく扱いにくい欠点があり、他社は全部ギブアップし弊社のみが持続しています。今もその可能性を求めて大学めぐりをしているのです。ぜひ若い諸君に理解いただき、この問題に挑戦してもらいたいのでくわしく説明しました。表3-1に使用しているセラミック材料を示しています。

	SiC炭化けい素	Si3N4窒化けい素	Al2O3アルミナ
密度	3.2	3.2	3.0
曲げ強度 MPa	700	1000	450
硬度Vickers	2.5	1.5	1.7
熱膨張率	3.1	1.6	6.3
熱伝導率	120	36	8
破壊靭性	3	7	6

表3-1 使用されるセラミックスの種類

I- P HONE（携帯筐体）への挑戦

2015年9月から2017年3月まで、NEDO(新エネルギー・産業技術総合開発機構)橋渡し研究として“高熱伝導アルミニュム合金用ホットチャンバー式鋳造装置開発”なるテーマを推進することが出来ました。このテーマにつきましては現在、東大マテリアル工学科の星野先生に支援いただきましたことを付記いたします。橋渡し研究のコオデネータは山口顧問に、研究機関は東北大学金属工学専攻　板村研究室にお願いしました。その結果としまして

A)25トン縦型ホットチャンバー鋳造機および5トン横型ホットチャンバ鋳造機の試作。これにより純アルミ製携帯筐体モデルの試鋳に成功して、待望のアルマイト発色サンプルを得たことは大きな成果でした。

試作した横型ホットチャンバー鋳造機は図3-21のごとくで主筒を長くし、アルミ溶湯の吸い込み口を深くして常にフレッシュなきれいな状態で吸い込めるようにしました。これにより粘度が高く難しいと言われていた純アルミの鋳造が始めて出来ました。

橋渡しプロジェクトで得られた結果

A）縦型25トン機の開発

ポット深部配置セラミックポンプ構造を開発しスカムの影響を低減しました。これにより1mm程度の純アルミ薄板のI-PHONE（135×65×1t）の鋳造が可能になりました。

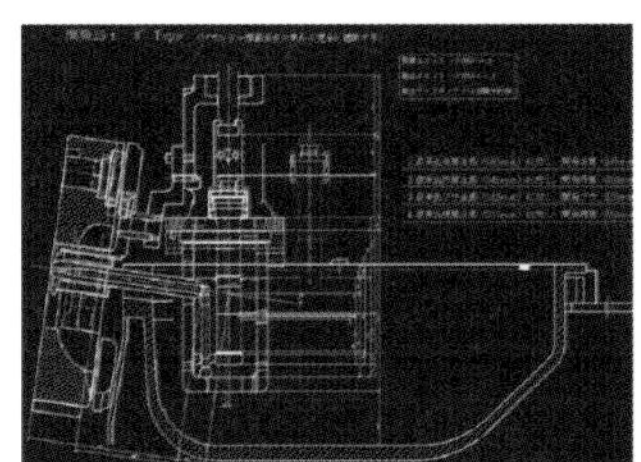

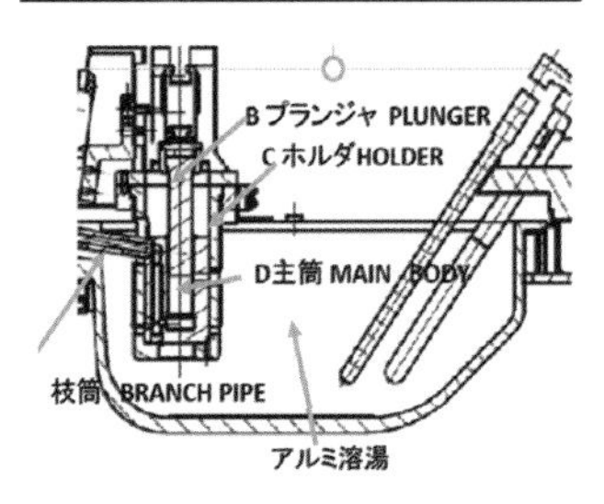

図3-21　改造したホットチャンバー機の構造

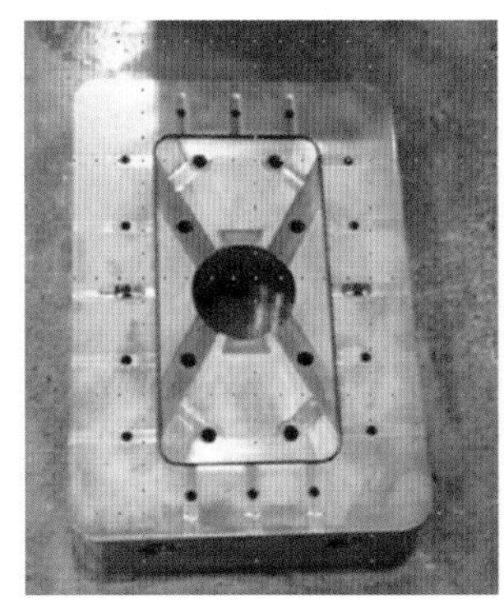

図3-22　ホットチャンバーの金型

図3-23　上記金型による成形　たすき掛けとフラット状の金型

金型を作りこれに純アルミ溶湯を流し込み成形しました。この結果は図3-23、図3-24のごとくで1mm厚みの薄い精密なアルミ成形品が出来ました。

図3-24　上記金型による純アルミ成形品のアルマイト処理

このフラット金型に対しアルマイト処理した結果が上図で見事にいろいろな発色が得られました。

外観、表面性状の改良

中国アップルの切削加工した携帯筐体品のアルマイトは芸術品といわれるほど美麗です、これにいかに近づけうるかが問題です。今回のNEDOプロジェクトでかなり良くなりましたが、オーバフロー部にボイド部(最後に溶湯が残る場所)残りました。

アルマイト色むらの原因と改善案　前記のようにきれいな色がでることは確認いたしましたが、一部でも不十分な場所があってもいけないのです。

鋳造する時に空気を追い出しますがガスと称する気体が残ります。このガス抜きすると表面の湯流れが良くなると言われるので確認する必要があります。

湯流れシミュレーションにより解析してどのような現象が起こっているか良く調べる必要があります。前進しましたが未だ不十分ということで再度、福島県の補助金を得てこのテーマを追求することが出来ました。

福島県産業実用化補助金による挑戦

空気遮断弁の開発

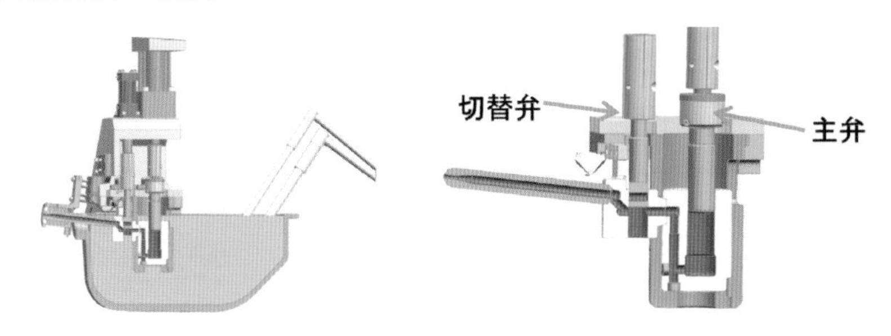

図3-25　新開発の空気遮断弁構造

上記に示しますのが、新しく開発しました主弁の横に切換弁を有する空気遮断弁操作弁の構造です。

動作説明；主弁が吸い込み行程になりますと、現在の一本の吸い込みポート方式ではキャビテーションと称する発泡現象が発生します。このことは別途作りました水流モデルで確認しています。この発泡現象が起こるとアルミ溶湯中空気の泡が発生すると考えられます。水の表面をかき回すと空気の巻き込みで泡が出来ますが、同じメカニズムです。

この空気の泡がアルミ溶湯と一緒に金型まで到達し、そこでボイドとなってぷつぷつとした跡を残すのでないかと推定されます。これを防止するために考案されたのが、上図に示しますような空気遮断弁というもので、主弁の横に配置された切換弁です。

この弁は主弁が吸い込み行程の時、吸い込み口をポット下部につなぎます。こうするとスムーズに溶湯が吸い込まれますのでキャビテーションは発生しません。吐出行程では切換弁と枝筒が繋がり溶湯を金型に流し込みます。このような切換弁は油圧では珍しくありませんが、ダイカストマシンでは初めての試みです。

事実このデバイスにより何回操作しても気泡生成、ボイドは認められませんでした。実に素晴らしい発想ですが、考案者は高橋氏、進藤氏の2人です。「必要は発明の母」と言いますが、言いえて妙だと思います。この案はもちろん特許出願していまして、当社のホットチャンバーの1つの特徴となっています。

このデバイスの実用にあたり、アルミ鋳造というのがいかにデリケートで扱いが難しいものかを痛感させられました。それはプランジャとスリーブ間のすきまの問題です。油圧では隙間(クリアランス)が大きければ漏れが大きくなるだけで他に問題は生じません。

しかし、アルミ溶湯では漏れが多いと、プランジャに一部のアルミがこびりつき固化する場合があるのです。アルミは温度が下がるとすぐ固まる現象がここで起こります。

隙間が適切ですとアルミは流体として潤滑作用を呈しますが、漏れ過ぎる、あるいは漏れが大きくなり吹き上がるとなりますと、上記の説明のように固着する危険性があるのです。もちろん、隙間が狭すぎればスムースに動けなくなります。適正なすきまを保持することの重要性がお判りになると思います。ホットチャンバーには微妙な技が必要なのです。

使い込んだプランジャは表面が黒くつるつるした感じになります。これがどうしてかアルミとセラミック表面が何らかの反応しているためかは現時点でははっきりしません。アルミは700-800度の高温状態にありますので何らかの化学反応が起こったとしても不思議ではありません。

以上を要約しますと、主弁の前に切替弁を置き、気泡の発生を抑止する空気遮断タイプを試作して鋳造実験を開始しました。その結果、湯流れが良くなり表面性状が大幅に改善し、オーバフロー部のボイドの発生がなくなったということです。

2年間にわたるNEDO橋渡し研究プロジェクト、および福島実用化補助金によるアルミ製I-PHONE筐体モデルを試作しましたが、次ぎの提案をしたいと思います。

この開発は、弱体化したわが国の情報機器ものづくり産業を新しいホットチャンバー技術で再生を試みるものです。うまく行きましたら、その経済効果は大きく言いますと10兆円をくだらないでしょう。現在のアップル、サムスン、中国ローカルのI-PHONE、I-PAD生産台数は数億台に上りますがわが国は50万台と足元にも及びません。

ホットチャンバー量産技術は現在の加工技術を進化させてくれますので、再び我が国の情報端末ものづくりが活性化されます。その経済効果は計り知れません。これらの研究で方策を固め、将来的に実用化したいと考えますが、未だ道半(なか)ばです。NEVER GIVE UP !!

第4章

執念の電動バイク開発

電動バイクの関わり

バイクに乗ったことがない著者が本章に書きましたように電動バイクに熱を入れて開発することになるとは想像もしませんでした。しかし、25年前大学の研究室でバイクシミュレータを学生と一緒に作りバイクの動力学を勉強したときが懐かしく何か運命的なものを感じます。

当時、日大生産工学部景山研究室を訪ねドライビングシミュレータを見学したことを思い出します。研究室には沢山のバイク好きがいて、ツーリングを楽しんでいました。

ヤマハ山縣先生とバイクシミュレータ

バイクの運動学を取り上げた際に、たまたま知り合いになり指導をお願いしたヤマハの山縣先生の援助を得てシミュレータを作ったわけです。先生のご紹介で何回もヤマハの技術館を見学しました。また先生が岐阜大学の教授になられたときは金型研究所を訪問し、専門的なことを教えていただきました。

その他先生のご紹介にてバイクの6軸パラレルリンク式荷重システムのテーマもいただき学生教育に大変役に立ちました。それどころではありません。先生はアルミ鋳造の専門家でしたので第3章のホットチャンバー技術についても指導をしていただいたことも忘れることはできません。

図4-1　バイクシミュレータを囲む
7人のバイク好きの学生たち

この油圧式6軸パラレルリンクバイクシミュレータを囲んでいる7名の学生は皆バイクが大好きでした。そのうちの何人かは実際にバイクメーカに就職しました。それほどバイクというのは若者の心に強く引き付ける何かがあると思いました。

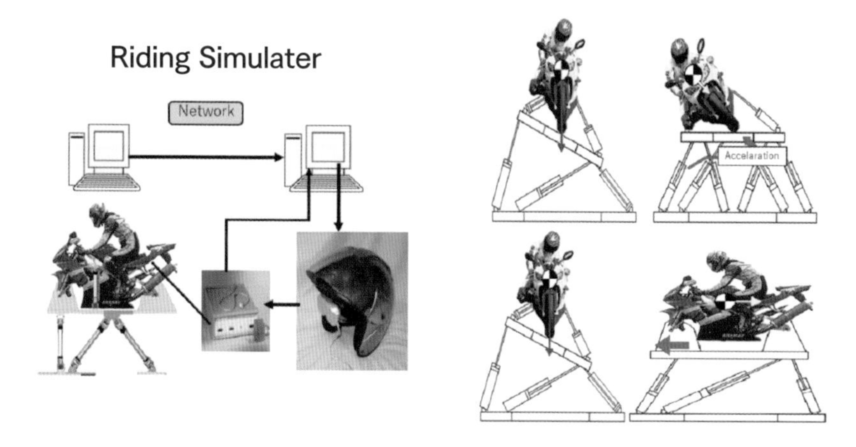

図4-2 バイクシミュレータの制御説明図

このバイクシミュレータの動作、例えば水平振幅は30cm程度ありましたが実際のバイクのスラローム運動を観察しますと数mの大きさです。とてもこのシミュレータでは及びませんでしたが学生教育には少しは役立ったと思います。

ホンダのHMT

これも不思議なご縁ですが、たまたま同社がバギーおよびバイクに使用するバダリーニ・トランスミッション(BADALINI TRANSMISSION)という油圧式無段変速機について知る機会があり、ホンダ朝霞研究所を数回訪問し開発者林様とお会いすることが出来ました。

そして本田宗一郎初代社長のイタリアからの技術導入とその失敗の歴史と、20年振りについに開発に成功し実用化にこぎつけたポンプモーター1軸構成のHMTを見せていただいたのです。その素晴らしいHMT一式をいただき学生教育に使わせていただきました。HONDAはこれを大型のバイクに適用する計画とのことでしたが最終的にはバギーに適用し成功したと聞きました。

このように今までバイクに若干の接点はありましたが、つい先年までバイクというのはたまたま遭遇したもので直接関係するとは想像できませんでした。当時は電動の話は全くなく、エンジン技術しかありませんでした。自分なりにHMT(これをホンダはHFTとも呼んでいます)の開発史を島津製作所出身の喜多先生とか長友さんの関係でまとめたのが下記です。

History of Persistent Development Honda HFT

1960： HONDA	Introduction of BADALINI MISSION to Schooter, not in Success
1993： HONDA	New Transmission Development in Success CR250 (Moto Cross), Bicycle. Supposed to commercialize for special motor bicycle, and passenger car in Future?
1990： KITA	Hydraulic Pump/Motor ……FFC Technically success of ORSHANSKI MISSION Not realized.
1990： NAGATOMO	Large scale HMT (RING VALVE DISTRIBUTOR) Trial manufacturing, not realized

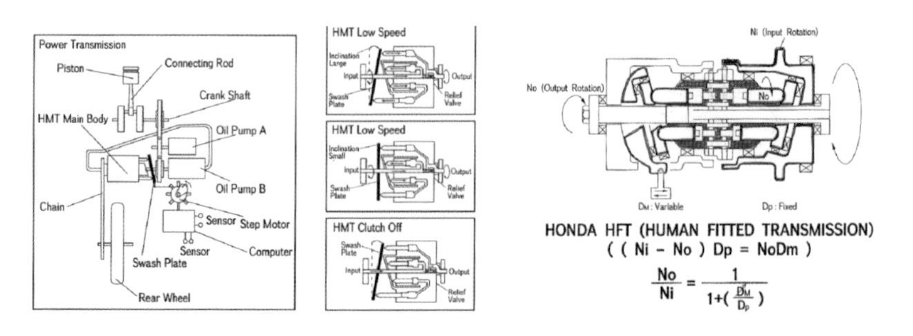

図4-3　HONDAのバダリーニトランスミッションの図

もともとのバダリーニ駆動はポンプ囲んでモータを配備してあったので損失が大きく、これがホンダの足を引っ張り倒産しそうになったということで、この欠点をホンダの技術者が20年かかって改善し下図のごとき1軸構造に改造し効率アップが出来たという説明を受けました。

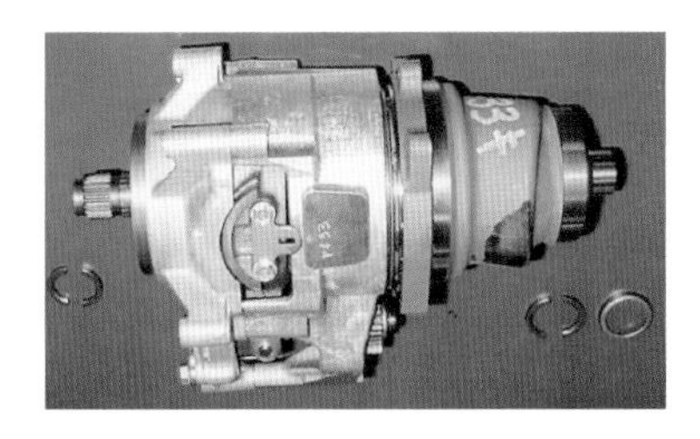

図4-4　HONDAのHFTの構造（HONDA殿からサンプルを学生説明用に進呈されたもの）

この様なメカニズムを開発できるところはホンダの様な独創技術を育てているところ以外には考えられません。私どもはこれに感謝し自分のできる所から電動化技術に取り組みたいと思います。

転がり込んできた電動バイクの話

数年前、新しく電動バイクを作りたいというとんでもない人が現れました。AAR社の福田さんと、バイクメカに強いメカ狂ともいえる橘さんの2人です。彼等の話によりますと、WHEEL INタイプの中国の電動バイクのビジネスを計画し実際にベトナムで始めましたが見事に失敗したとのこと。ベトナムで多額の損害を出したというのです。

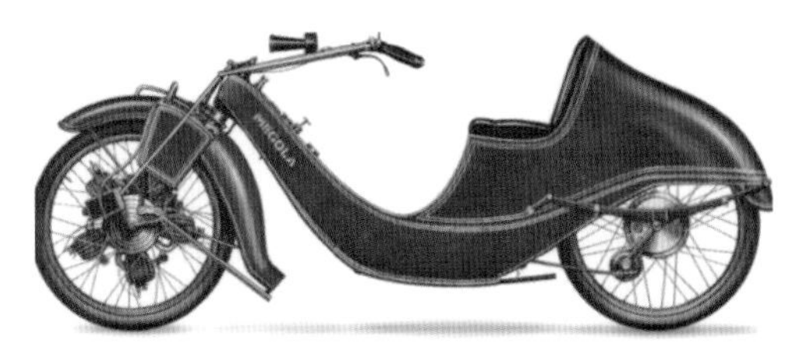

図4-5
古典的なバイク

もちろん、日本でも中国から大量のバイクを輸入して販売を試みましたが全然売れなかったということです。なぜ売れなかったか聞いてみますと、パワー不足で坂道が登れないというのです。10度くらいの坂道が登れないと日本でもベトナムでも駄目だというのです。10度は勾配17%と言うことで100 m行って17 mの高さですので結構な坂道です。

中国スタイルでない、坂道を登り速度もでる新しいバイクを開発したいとの熱心な話に気持ちを動かされ、ついに合点し日本電動というSTART UPを作りました。

その過程で、福島県浜通りの双葉町復興プロジェクトの話があり、復興庁の紹介で双葉町の町長さんにお会いしました。町長さんが電動バイク大好きということで意気投合、双葉町中野地区に新家屋の建設を計画する話まで行きました。

世界のマーケット

世界を席巻する電動スマートバイク事業

世界に5億台のエンジンバイクが走っているとのことで、これが全部電動になれば巨大な市場ができます。資金と強力な技術があれば電動バイクの量産工場立ち上げが可能です。初年度2万台から10年後100万台を目指してモータ工場、組み立て工場を稼働させ、第2の浜松にするという夢を持つことができます。工場ラインは簡素、建設費は低廉でシニア層でも楽に作業できます。

従来の問題点は　モータに力がなく速度は遅く坂道は登れずで、魅力がなくエンジンバイクに勝てなかったということです。

10度程度の坂道を楽々登り、最高速度が60-70 Km/h航続距離もある程度で長ければ簡便な乗り物になります。電動はメンテナンスも要らないので新興国の市場に適合します。

世界の電動バイク開発メーカは大きく2つに分かれ市場が形成されています。

1）低価格、近距離走行重視型

今回の我々の開発ターゲットもここですが、これに一味加えて坂道登坂性能を向上させた領域を志向しています

2）高価格、デザイン、機能性重視型

ここは従来の大手バイクメーカが志向するところですので我々の領域

とは全く違います。大手メーカは資金力が豊富であり開発力、技術力もありますので、我々が狙う低価格帯の電動バイク事業に全面的に切り替えることは容易ではないと思われます。ここにわれわれのごときSTART UPが付け入る隙があると思います。

次表は例えばどのように開発を考えているのかを示す年度別の人員、販売台数および売上推移の例です。

	2022	2023	2024	2025	2026
	開発	テスト 販売	本格販売		
人員	2	5	10	20	30
販売台数 /Y		100	1、000	3、000	10、000
売上　M¥		30	300	900	3000

表4-1　バイクの人員、販売台数の期待値

仮に大手が進出したとしても、バイクマーケットは巨大ですので特長さえ持っていれば小さな企業も居場所を確保することが出来るはずです。資金、人員、設備もないですからバイク全体を作ろうとせず、まずキーポイントである電動モジュールに集中し、例えばバイクショップにおいて付けてもらえれば良いとの考え方があります。

もちろん、バイクをやりたい人たちは全部自分の納得できるWHOLE BODYを作りたいという夢を持っていますがそれは簡単でないことを知っています。私どもも一歩一歩進むしかありませんが、夢を決して忘れることはありません。

中国マーケット

電動バイク王国と言われYADEA,EVOKE,NIU等の大手を中心に1000万台規模で生産していますがほとんどWHEEL IN MOTORと聞いています。

ベトナムマーケット

バイクで長距離を高速で走るのがこの国の特徴で、ほとんどエンジン駆動車とのことです。この国に適する電動バイクを開発するのがわれわれの1つの目標です。資金とベトナムの学生を集めてこの国に適合する電動バイクが開発できれば素晴らしいと思います。

図4-6　ベトナムのバイク事情

確かに上記に示すようにエンジンバイクが密集して走っています。いくら電動バイクが環境にいいと言っても交差点の出だしが遅れたら乗り手は楽しくありません。またベトナムは公的な交通機関が発達していないので、長距離通勤が多いとも聞いています。このニーズにも合わせることが必要です。

アフリカマーケット

この地域は本年のTICADアフリカ開発会議での日本政府の大幅な支援の表明もあり、再び注目されています。電動バイクの処女地としても有望ではないかと思います。ある人からは1000の丘のある小さなアフリカの国　ルワンダ を狙って電動バイクの将来の1つの開発拠点としたらよいとのアドバイスを受けました。また日立機械研究所の後輩の望月博士や農工大AGYEMAN先生からは、ガーナは治安が良いからここでバイク事業をやろうとの提案を受けました。

私自身は残念ながらアフリカに行ったことがありませんのでどこが良いか判りませんが、電動バイクが待たれる場所であることは判ります。いつの日かこの夢を実現してくれる若者が出てくることを期待します。

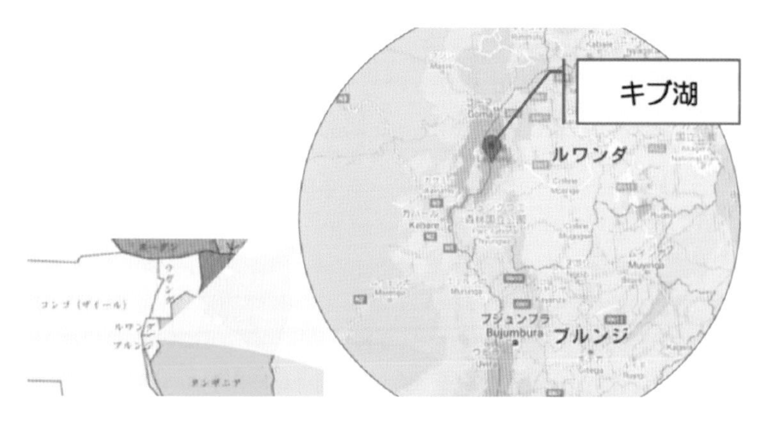

図4-7　ルワンダ　アフリカの奇跡といわれる国

ガーナ親日国

ガーナは親日国でかっての奴隷貿易の基地、今はカカオの産地。

その他東南アジアでもバイクが庶民の足ですので、どこでも電動バイクの需要があります。とくにインドは膨大なバイクが走っていますが、名だたるインド商人が控えているのでビジネスは大変でしょう。今日本電動の技術顧問の横山先生（工学院大名誉教授）の尽力によりネパールから話が来ていますので、そこから攻略してはどうかと議論しているところです。それでは米国、欧州ではどうかとなります

図4-8　アフリカガーナ国

が、良く判りません。電動モジュールを提供して後は組付けるというアジアでのスタイルが通用するとは思えません。多分電動バイクとして販売するしかないと思いますが、これからの課題です。

各種タイプの試作状況について

WHEEL IN TYPE(WI)

C社に開発を依頼し挑戦をしていますが、この分野は海外勢の力が強く開発は容易でないとの印象です。小さい空間にモータと減速機構を入れるのが大変です。実際に試みているのは下図のスクータです。当初は定格600Wのモータをつけてみましたが、速度も30-40Km/h程度しか出ず5度の坂道も登りませんでした。これは計算してみれば一目瞭然で、2Kw以上が条件であることは計算で判ります。実際には3Kw程度は必要でしょう。

図4-9　ホイールインバイク

ホイールインタイプは場所の制約があります。出力を上げるのが難しいならばモータと減速機を一体化することを諦めることになります。このタイプでは10かそれ以上の減速比が必要ですので歯車は遊星配列の2段機構となります。歯車は小さくならざるを得ず、低騒音化のため平歯からはす歯にする必要があります。私の感覚ではモータと減速機を別々の構造体として結合すること、少し後輪タイヤが横に膨れることは致し方ないと思います。歯車機構は耐久性第1で設計されるべきで小型化は2の次です。

バイクを開発しようとするとモータについても少しは勉強せざるを得なくなり元日立研究所の第1部(モータ開発部門)の大西さんに御指南を仰ぐことにしいろいろ教えていただいています。当初C社のホイールインモータについても一緒に見学しアドバイスを受けています。わからなかったことも、何回も実物を見ることで納得しました。

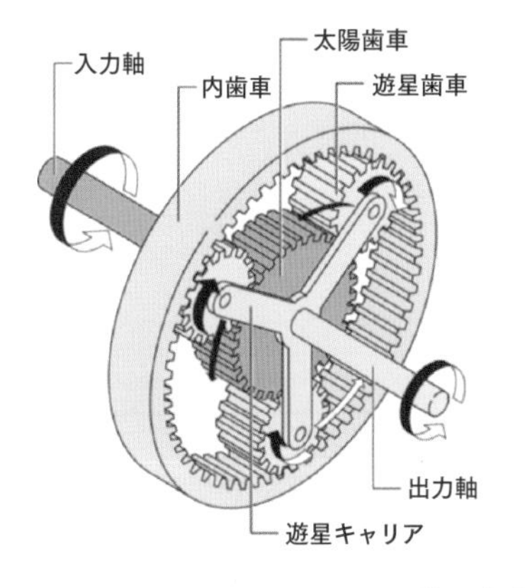

図4-10　遊星歯車と並行軸歯車の減速機構

大洋電機エンジニアリング（川崎）の SRモータ付きの電動バイク

1.2Kw SR MOTOR

下記に示す1.2KwのSRモータ式電動バイクを使用して工学院大にて坂道登坂実験を行いました。8度程度の坂道ですが速度は落ちましたが登れました。

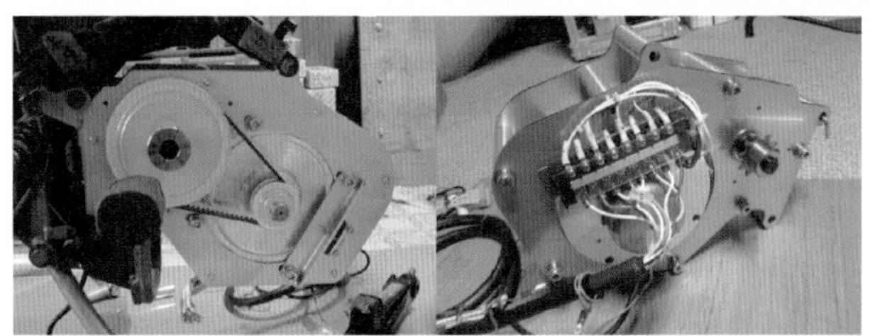

図4-11　大洋電機のSR MOTOR付き電動バイク

モータの回転は上記に示しますプーリとVベルトおよびチェインによって減速される固定減速機構です。

自動車学校のコースを使用して走行実験をしました。バイク自重は100Kgでそれに自重100Kgの運転者が乗車。バイク全重量は200Kgとなります。バッテリ(Li電池25Ah)72Vで1回の充電で40Km走行可能でバッテリ電圧は16V低下、温度上昇は33°Cで十分な範囲に収まったとのことです。自動車コースの10%勾配の坂道発進は可能でした。

再度の実験で、現SRMにて平地で40Km/hの最高速が出せ、かつ10%勾配の坂を高速で登坂できると確認したので、仮に下記仕様のモータの諸元を設定しました。

A)条件 車重200Kg、固定減速(減速比14と仮定します)、18インチタイヤ外径600mmとします。

B)平地最高速度70Km/h,坂道10度(勾配17.7%)の勾配、長さ100mを35Km/hで走行可能とし、25Km/hなれば連続走行が可能と仮定します。

C)平地での走行速度40Km/hの場合、モータ回転数は5000rpmですので平地速度70Km/hを実現するにはモータの最大回転数は9000rpmになります。

D)200Kgのバイクが10度の坂道を登攀するときにタイヤにかかるトルクは100Nmとなります。減速比１４ですのでモータ軸換算のトルクは7Nmとなります。定格9000rpmの定格トルクは3Nmになります。

以上の結果より設計において容量を大きくすれば、例えば3Kw程度にすれば要求性能を十分満たすのではないかと推定されます。

これからの戦略

駆動部

WHEEL IN駆動が中国を中心として普及していますが、急な坂道登るだけのトルクが出ないなどの問題は容易に解決しないと思われます。

確かに電子変速するモータの開発は有望と思いますが、減速機の強度、耐久性を解決するにはまだ時間がかかるでしょう。外付けモータにも固定減速と可変減速（ミッション式）の2つがあります。前者の場合、SRモータで説明したように、最高回転数を上げると同時にパワーアップすれば坂道登坂特性の実現は可能になります。

可変減速の場合はクラッチ操作で変速していきますが、モータと駆動軸が直結していません。モータが加速して遠心クラッチが接続されますのでネガティブコントロール特性（負荷が大きい時はクラッチの繋がりが遅くなる）、乗り手の自然な感覚に近い特性を示します。

これに対して固定減速の場合は、モータが回転すればバイクは即走行するという硬い余裕がない特性です。顧客がどちらを好むか乗り比べをしていただいて、意見を聞く必要があります。

これまで72Vバッテリ電源を使用した試験で、3Kw程度の出力があればどのタイプでも坂道10度程度は登り、最高速度60-70Km/hの速度が出ること、また1時間程度は走行可能であることが判りました。可変減速の方が当然モータの選択幅は大きくBLDCで十分と思いますが、固定の場合は高速性が必要ですのでSRも検討に入ってくると思います。幸いにしてSRモータも回生制動ができることが実証されていますので、検討の価値はあります。

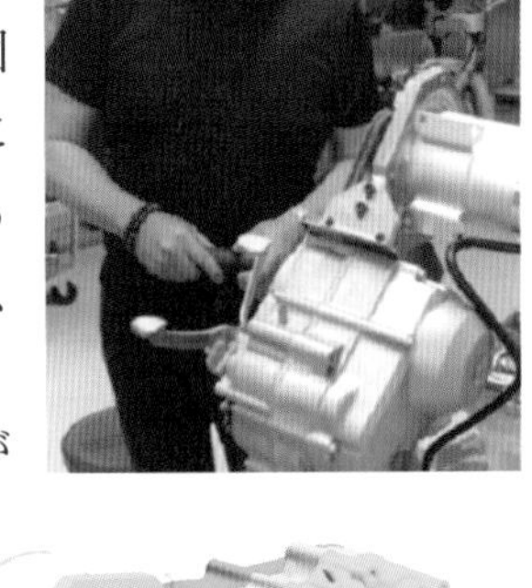

また将来大型バイクについても検討する時が来るでしょうが、効率の良い高速モータが候補になると思われます。これについては工学院大の方で本格的検討がされると思います。図4-12は日本電動の外付タイプの電動モジュールです。

図4-12　日本電動の外付タイプ

ワイヤレス給電

EV時代の到来でバッテリ充電のニーズが高まりワイヤレス給電の話も多くなりました。私どもは電動バイクの開発をしていますが日本では未だ充電スタンドが少ないのでなかなか普及しないという話もあります。EVならいざ知らず、手軽に乗る電動バイクはやはり充電ガンを必要としないワイヤレス給電の方が良いと思われます。

RAISON TECH社が実用的なワイヤレス給電を開発したので数回川崎サイエンスパークを訪問しました。

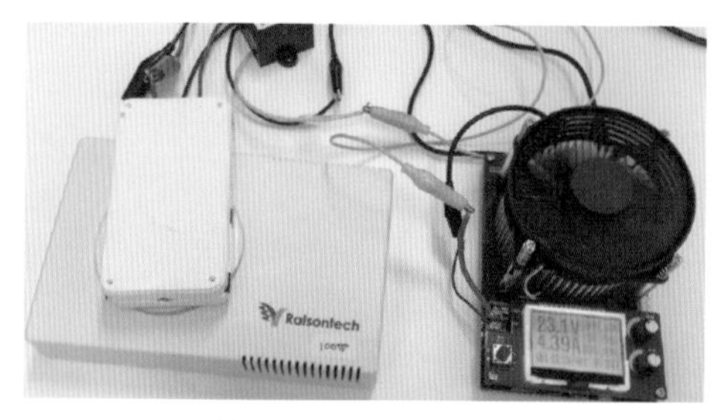

図4-13　RAISON TECH社とそのワイヤレス給電装置

RAISON TECHの技術はまさに高度な通信技術の塊です。同社は川崎の電気メーカ出身のシニアの方々が多いという印象でした。関沢社長の机の上には下図のごとき電子回路むき出しの送受信機が置いてありました。

新しいワイヤレス給電方式の提案

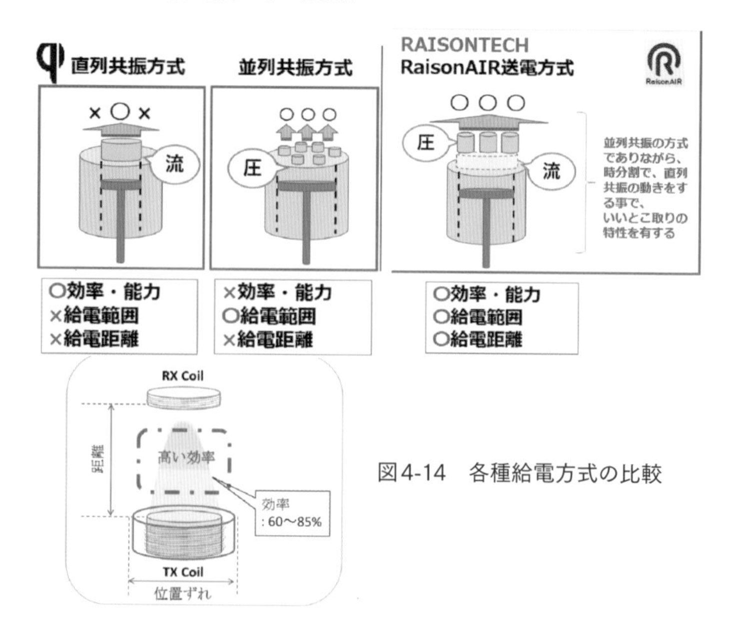

図4-14　各種給電方式の比較

これは下図に示す様に、送信TXコイルから受信RXコイルに電波を送信します。位置が少し位ずれても許容できたほうが実用的で、さらに当然効率が高い方が望ましい。少し専門的になりますが直列共振と並列共振の2つがありその特質は互いに一長一短があります。そこで両者の長所をとり直並列同時方式を工夫したところ、性能が格段に良くなったので同社の特許として事業化に踏み切ったわけです。

図4-15　電動バイクとEVのワイヤレス給電機構

AC 100V
専用ACアダプタ

この方式を電動バイクに適用する場合を上に示します。スタンドの先端にTXコイルが付いています。そしてバイク側のRXコイルに接近させれば、厳密に位置合わせしなくても送電しバッテリに給電できるというわけです。車の場合は縁石に停止すれば多少横位置がずれても給電可能という事になり、面倒な充電ガンを使用することがなくなります。従来の方式はどうかと言いますと、充電ガン方式が主流です。私はこの代表的メーカの1つの台湾のACON JAPANという会社を訪れ、その説明を聞きました。売り上げは35億の会社です。各種EV用充電ガンを生産していますがその他に充電ステーションを運営しています。

下図のごとく充電ステーションの数は複数になりますので投資金額は大きくなります。EV時代の新しいビジネスが始まっているのです。

下図のように給電装置は大電流をを瞬時に流す必要があるので結構複雑で大変な機構です。充電BOXはこれを沢山配置して設備することになるので大規模の投資が必要となります。近い将来、従来のガソリンスタンドがこのような充電スタンドに変わると思うと時代のスピードの速さに驚かざるを得ません。過去の遺産が何もなければ素早く新しい時代に適応できますが、日本の様な長い歴史を持つ所ではそうもいきません。この逡巡が激しい技術革新の時代に我が国が遅れをとる原因の一つです。

日本の若者にお願いしたいのがここです。ぜひ時代の流れに敏感に反応し、新しい方向へ勇敢に立ち向かっていただきたい。この大規模な充電スタンドの構想は台湾メーカからの提案です。台湾のTSMCが、今世界の半導体のTOPになり我が国にも巨大な投資をしています。日本も完全にその影響下に入り、生き残りを図っている状況です。

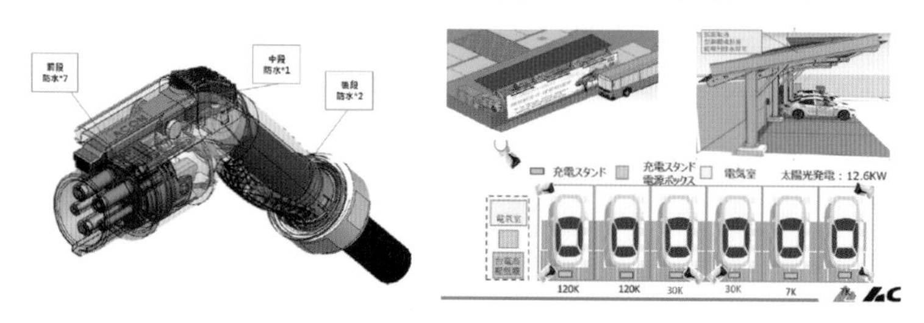

図4-16　充電ガンと充電スタンド

小さな国である台湾は、いち早く大規模な充電スタンドを計画しビジネスをリードしようとしているのです。台湾の上場企業である、Aconの日本法人、Acon Japanは、2002年設立以来劉社長の類い稀なリーダーシップでコネクター事業、光通信事業を主力商品として日本の有力企業と取引しているエクセレントカンパニーです。この会社が開発されているのが図4-16に示す充電ガンと充電スタンドを示しておきます。

かつて日本は台湾総督府を作り、台湾を変え、今の豊かな台湾の基礎を作ったことを古川勝三氏の著書で知りました。その代表というべき方が台南市烏山ダムを作った日本人矢田興一氏で、今もその功績が語り継がれていることを知りました。

氏は残念ながら、太平洋戦争でフイリッピン出張中に乗船した太平洋丸が撃沈され殉職。奥様もその後を追って烏山ダムに投身されたとあります。誠に痛ましい限りですが、これが本物の日本人の姿なのです。

現在では台湾が日本に貢献しているのですが、これで満足していては困るのです。かつての日本人のごとく、世界に貢献していくのが我々の本来の姿だと思います。そのためにはやはり技術の動向に後れを取らず反応していくことが第1歩かと思います。

第5章

福祉医療
ロボット分野への取り組み

超高齢者社会における福祉ロボットの状況

日立で産業機械の開発に従事し工科大で産業ロボットを開発した経緯から明らかの様に、私自身は福祉医療については素人に過ぎません。福祉ロボットに関しては、産業ロボットの延長との認識で、弱者を助ける人間的デバイスゆえ自分たちでも製造できるという感覚です。医療ロボットはこれに反して医学の専門知識が必要で、つくるのは難しいという感覚です。日本コンピュータ外科学会の会員になりましたが難しくてついていけません。自分の体に関係することではありますが、医者と組まない限りどうにもならない世界の様に思います。

人が年々年老いて体力が低下してくることは、認めたくありませんが間違いないことです。私自身今まで数回大病を患い、大動脈血栓であわや片足がなくなる危機に見舞われたこともあります。その際車椅子のお世話になったのですが、義足になる可能性もありました。幸い回復しましたが、福祉医療は重要なことを痛感したものです。

福祉機器についても多くのすぐれた先生方のお世話になりましたが、その最初の接点は、面白いものですべて偶然から始まっています。「求めよさらば与えられん（積極的に行動すれば、成果はおのずから得られる）」ではありませんが、不思議なもので動いていれば何かが始まるのです。

例えば東京理科大小林先生のマッスルスーツに最初にお目にかかったのは、ロボット展における学生さんのデモでした。

腰の負担が軽くなるデバイスとの説明でしたが、当時はとても理解出ませんでした。だがデバイスの凄そうなことだけは、しっかり感じることが出来ました。

研究者は独創性を最重要事項としていますので、“最初にコンセプトを考え形にした人がすごい”として評価します。実務家は形にしただけでは駄目で、実用化、事業化することを評価します。その認識の差がここでも現れ、実用化に際しいろいろな障害が現れましたが、先生の執念がすべてを押し切ったと思います。福祉分野ではこの東京理科大発イノフイス社のマッスルスーツが代表的なものになりました。

さらに現在、東工大の三宅先生にお世話になっていますが、その出会いもまた不思議でした。ドイツの福祉展においてデモをされているのに偶然お会いし、先生の同期、引っ込みの概念に惹かれ製品化のお手伝いをするに至ったのです。

その後もいろいろな機会で素晴らしい先生方にお会いしていますが、ビジネスにつながることを早急に意識しても旨く行きません。幸運の女神の微笑むのを待つのみです。福祉分野がさらに進展したのは、東大のロボット専門の佐藤先生のたゆまぬ支援があったからと思います。このお付き合いがSOCIAL ROBOTICSの搬送ロボットにつながりました。また例えば井口顧問の発想した楽ウォークも、これで本格的試作に入ることができ、車椅子のBACK BRAKEの開発まで進むことができました。

この様な福祉医療ロボットの世界に誘ってくれた最初の人は、日立機械研究所出身の早大の藤江先生です。藤江先生とはすでに20年のお付き合いになりました。始まりは本態性振戦の制御ロボットの記事に問い合わせをしたことです。それから早稲田との交流が本格化して福祉機器から手術ロボットまで広がり、九州大学の内視鏡を使う手術ロボットの権威橋爪教授と懇意になる幸運まで得ました。そして農工大遠山先生の球面超音波とSERENDIPTY社のレンズ技術を組み合わせた内視鏡まで試作し、動物を使っての実験をしました。さらに、九州大の開発センタにて穿刺ロボットの動物実験をする機会を得ました。

この穿刺ロボットは、張先生(菊池製作所から早稲田大准教授)の努力で開発されたものです。その後も紆余曲折はあったものの、持続発展し日中の共同研究開発まで進展しています。用途は、はじめ中国では手術の際の神経ブロックと言っていましたが、現在は針を使った肝臓の焼灼手術用に変わってきたようです。また、そのAI画像処理技術を応用した方向にも進み、鍼灸(はりきゅう)技術への応用にも進んでいます。その先の技術としてNEURO REHABILITATION技術の応用も始まっています。この世界は本当に深く広いことを知りました。

日本は高齢化社会を迎えていますが、我々高齢者もチャンスがあれば働いていて、労働力不足をカバーしています。福祉ロボットさえあれば、さらに高齢者の力を活用できるので、若者に良いロボットを開発してもらいたいと思います。

超高齢者社会の現状

高齢者には運動、栄養、社会参加が必要とされますが、人生は2回あると考えれば高齢者社会の捉え方も違ってくると思います。第1回人生は65歳までで義務として働き、第2回人生は65歳を0として再び始まると考えるのです。

こう考えれば85歳はまだ20歳。超高齢者の概念がなくなり毎日何かを成す可能性が出てきます。もちろん、本当に調子の悪い人はケアしなければなりません。

仕事があれば、面白ければ、人は集まります。年に関係なくリーダになるのです。谷口先生(未来技研 80歳、元大阪電通大教授で大学発ベンチャ1号を創立した方)は大阪の自宅から飛び出し、南相馬にて数か月もホテル住まいの研究生活をされています。それも嬉々として励んでおられる様子です。先生は廃炉で生じたトリチウム検出法の開発や、X線による肉中の軟骨の検出のようなハイレベルな研究開発を指導されているのです。まさに人生100年時代、生涯現役を体現しており、若者もかないません。

谷口先生にはフレイル(心身の衰え)なんていう概念はあてはまらないことを事実が示しています。

しかしこういう元気さは、誰かが与えてくれるものではなく自分でつかむしかありません。福沢諭吉翁曰く“天は自ら助くるものを助く”です。私も谷口先生ほどの才能はありませんが好奇心だけは衰えず、命に係わる病気を3回も切り抜けて、何かをなそうともがいていることは事実です。運を天にまかせてはいますが、自分の生きた証を残したいと思っていることは余人と同じです。

そこで一番難しいのは認知症(DIMENTIA)です。私はかって認知症の権威東北大の目黒先生の講演を聞き、認知症にもいろいろな種類がありレベルに応じて対応が異なることを知りました。そして海馬が重要な役割をしていることと、海馬の刺激に対する応答が脳磁計で判ることをNICT(国立情報通信機構)出身の松井先生から聞き、その実用化のためのSTART UPまで作りました。

現時点ではまた新しく東北大においてSPIN SENSING FACTORYなるSTART UPが出来ましてTMR(トンネル磁気抵抗)を使用したもう少し簡素な脳磁計が開発されてんかん研究に実用されていることが発表されています。開発された工学部安藤先生には数年前筋磁計の関係でご指導いただいたことがあります。東北大医学部には約1000名弱の先生方が多岐な分野で活動されておられ目的によって脳磁計のスペックも異なるという事でしょう。

NICTのタイプは脳深部の海馬の動きを計測できることを特長にされていますがSPIN SENSINGのタイプは脳の比較的表面なのでしょうか確かめたいと思います。

脳研究は国内外で盛んに行われていますのでNICTの装置が早く役に立っ日が来ることを期待しています。

近年日本で開発された典型的な福祉ロボット

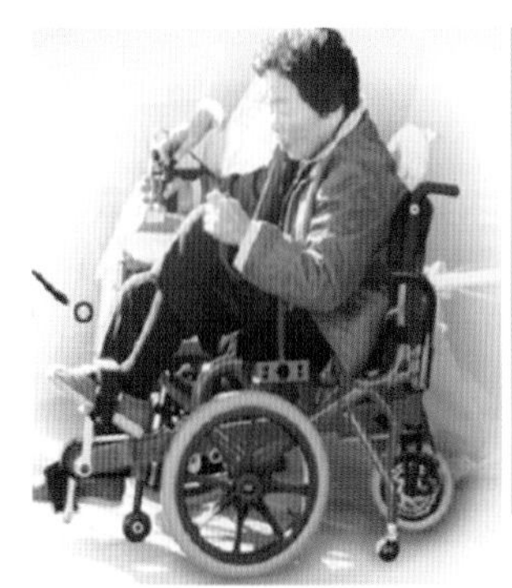

Muscle suits driven by pneumatic artificial actuator

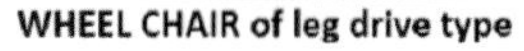

図5-1　日本で開発されたロボット、足漕ぎ車椅子とマッスルスーツ

図5-1の左は東北大半田先生のアイデアを実用化した足漕ぎ車椅子、右が理科大小林先生のイノフイス社のマッスルスーツです。下図が弊社の東京オフィスに展示してあるもので左端が最新の低価格バージョンです。このデバイスは本当に良く考えられた力学的構造をしており腰に復

元モーメントを与えてその負担を軽くするという原理を理解するのに時間がかかりました。

図5-2　東京ショウルームに展示したマッスルスーツ

右図は某社と協力して試作したもので重量級のマッスルスーツというべきものです。電動コンプレッサータンク一体型で25kg以上の大荷重を持ち上げても腰に負担をかけないことを目的としたものです。

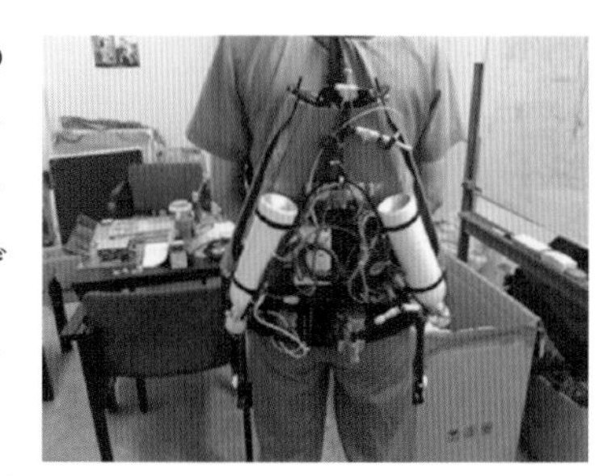

図5-3　電動マッスルスーツ

車椅子の改良とそれに代わる楽ウォークのトライ

車椅子の改良　車椅子バックブレーキ

車椅子は身障者または高齢者にとって最もポピュラーな乗り物ではありますが、乗り込む時に下がったり、動いたりして思わぬ事故を起こすことがあります。その転倒防止と、さらには坂道の逆進防止のために、産総研前川博士が独自の機構を開発されました。それを実用化すべく開発に着手したものです。

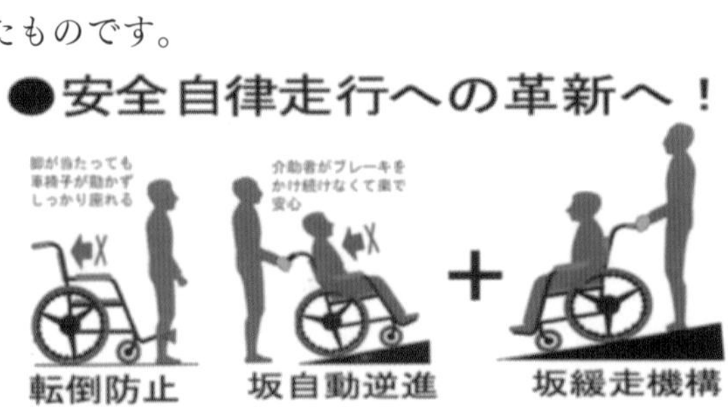

●安全自律走行への革新へ！

転倒防止　坂自動逆進　＋　坂緩走機構

図5-4　バックブレーキ装置の適用分野

以下に示すのが本トライの纏めです。

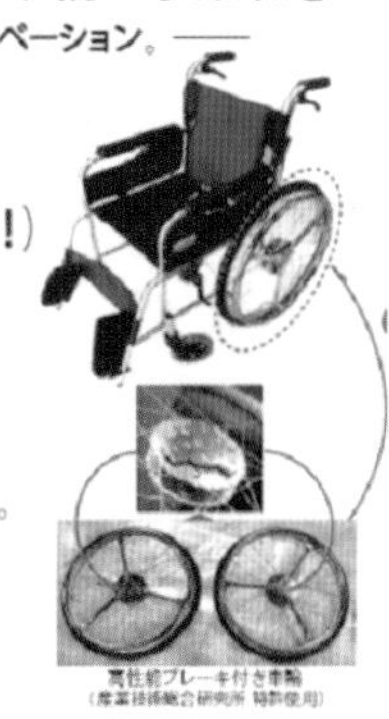
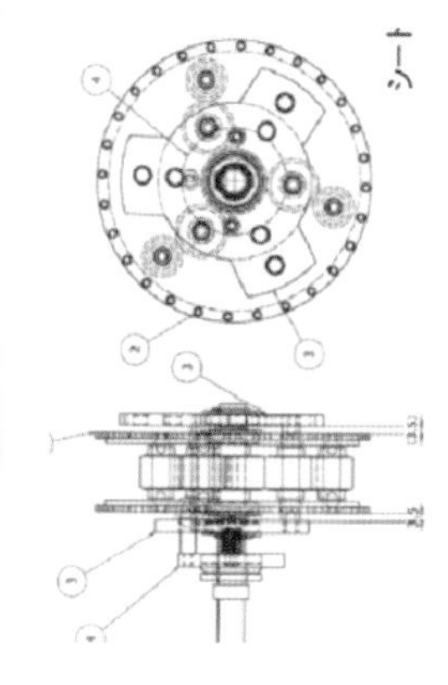

図5-5　今後のバックブレーキの活用の仕方

車椅子は転倒しないことが安全上必須で、荷重センサを装備してブレーキをかけるというのが普通の発想と思いますが、このデバイスはそうでないのです。

リム操作では前後いずれも操作できるに関わらず、リムから手を離した場合には、傾斜の有無に関係なく後ろ向きには動かない。しかし前には動くという極めて特異な運動を可能にしています。

遊星歯車機構を使用していますが、さすがこの機構に精通した産総研の機械部門の発明だけあります。太陽歯車から駆動する場合はくさび効果が小さく歯車のロックは起こらないのです。これに対して内接歯車から駆動する場合はくさび効果が大きく作用し方向性が顕著（けんちょ）にでるのです。

この原理、作用を理解しませんと物はできません。現場でこの原理を実装し、間違いないものにするためには実に多くの工夫が要りました。そのため話があってから紆余曲折、5年がたちやっと何時でも量産できる体制が出来ました。しかし、部品が結構沢山あるので、機械加工をしていては高くつくため金型を使って合理化する必要があります。金型は結構大きな投資が必要なので、量産が前提になります。サンプル程度ならいつでも提供できるレベルにはなりましたが、量産はこれからです。

試作したBACK BRAKE付車椅子を以下に示します。ホイールの中心にある円盤状のものがBACK BRAKE装置です。

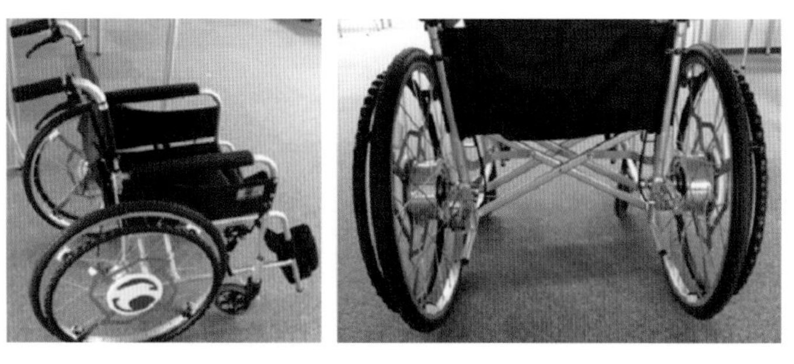

図5-6　BACK BRAKE付の車椅子

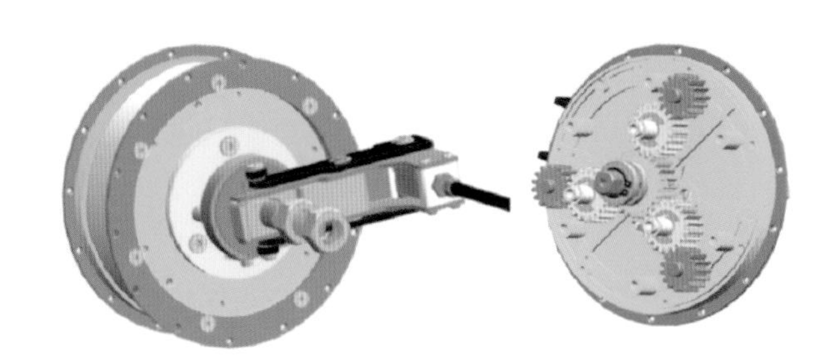

図5-7　BACK BRAKE、左が本体、右がその内部構造のCAD図

図5-8と図5-9の2つの図は専門的になりますがどうして車いすが前進しているときには自由に回転し、逆転する時にブロックされるかを模式的に示したものです。

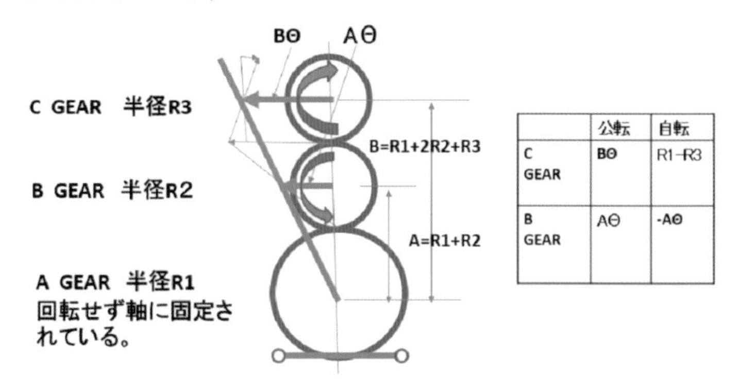

	公転	自転
C GEAR	BΘ	R1-R3
B GEAR	AΘ	-AΘ

図5-8　3段遊星歯車列　B歯車は軸にガタあり

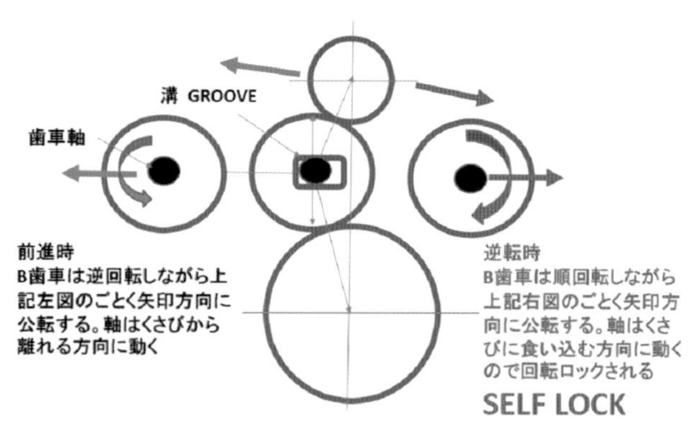

図5-9　BACK BRAKEの原理
前進時は自由に回転、歯車列はノーロック、後退時はB歯車がガタ内で右方向に動いて歯車列はセルフロック

前川博士から(株)福祉用具サービスのもんちゃんの佐藤社長を紹介されました。彼は現在茨城大博士課程在学中で、“セルフロック機構を有する歯車列およびそれを備える車椅子またはキャスタ”なる研究をされ、特許も取られています。

セルフロックに及ぼす幾何学寸法、歯車および軸の材質、形状につき理論検討され実験もされています。現場の努力により弊社も安定して性能を出すノウハウを得ましたが残る問題は金型化による原価低減です。

これが近時解決されることを期待していますが定かでありません。いつの日かエンジェルが現れて、BACK BRAKEの量産化に協力しようと申し出てくれるのを待っている状況です。試作の段階で止まっていては普及しません。どうしたら良いか悩んでいますがこれがいつか解決される日が来ることを期待しています。

今までこの開発に頑張ってきた弊社南相馬工場の3人組(高橋、原田両部長、浜名副工場長)、企画営業分野の井口、森亦両顧問、さらにBACK BRAKEの組立、販売に協力をいただく北海道岩見沢のCUPIDの村山理事の方々が待っているのです。

そんな雰囲気にまた新しく(有)ムーブの廣川社長が現れLarry Autonomic Chairなるデザイン性に優れた車椅子を紹介されました。

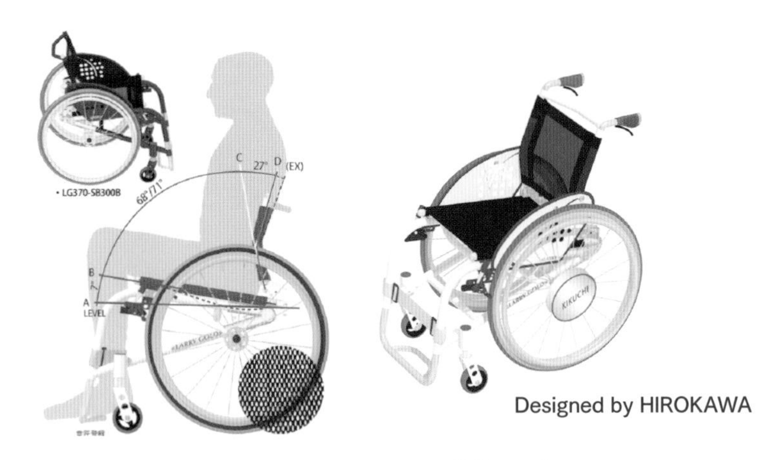

図5-10　LARRYとBACK BRAKEを装備した状況

楽ウォーク（SMART WALKER）の発想

東大名誉教授佐藤先生のアドバイスもあり、車椅子に代わる新しい歩行器を提供したいとの発想が弊社のデザイナ井口顧問から出たので試作しました。

A) 歩行器の目的

常時すわりながら歩く(SITTING WALK　SWタイプ)、常時歩くがたまに疲れたらすわる(WALK and SITTING WHEN TIRED WSタイプ)、常時歩くのを支えるだけ、すわらない(WALK ONLY WWタイプ)の3タイプが考えられます。

B) 歩く場所はどこか

室内用(INタイプ)小回りがきき旋回しやすい、屋外用(OUTタイプ)砂利道とかスロープでも動く。

C) 電動とマニュアル

どちらでもあり得ます。

D) 乗る人

健康高齢者か片麻痺等ハンディキャップのある人か、どのレベルの人か、体幹のしっかりした人かどうかも関係します。

東京農工大 和田先生（現東京理科大）開発の アクテブキャスタ式楽ウォーク

キャスタはもともとパッシブのものしかありませんでしたが、先生はアクテブに動作する制御性の良い独自のデバイスを考案されました。

これを楽ウォークに適用しました。

図5-11が開発した先生が説明されている状況です。実際にマニュアルと電動式の2タイプを試作し南相馬で実験しました。屋外散歩用楽ウォークとして大きく作り安定性を向上させました。福島復興の大きなプロジェクトの一環での実験でしたが実に楽しかったです。

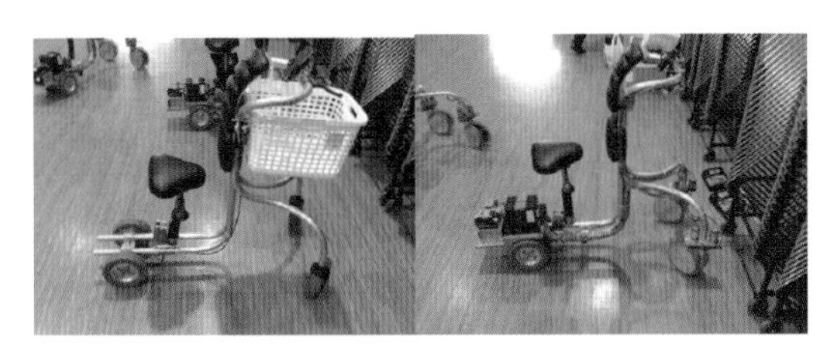

マニュアル　　電動式 アクテブキャスタ

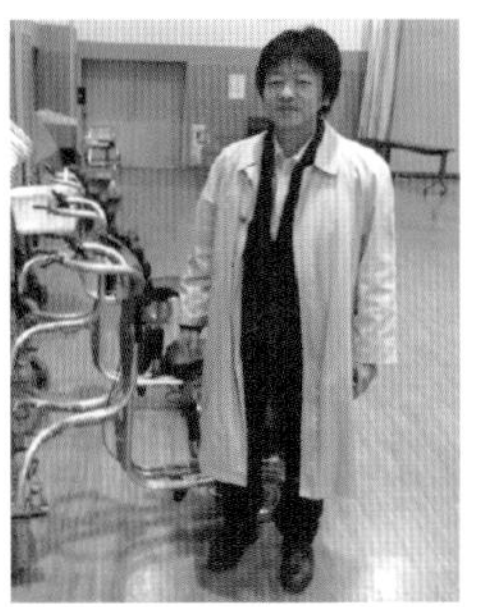

図5-11　和田先生のACTIVE CASTER式楽ウォーク説明される先生

標準型楽ウォーク

もっともシンプルな構成の楽ウォークの走行特性の評価を、南相馬で現地の避難している方々の支援を得て冷たい雨のなか行いました。道路は幅方向勾配のため、直進できずステアリングがふらつき使いにくいと不評でした。どう改良すべきか検討課題が残りました。

図5-12　標準型楽ウォーク

楽ウォークの3脚構成

東京工科大学大山研にて後輪を電動化していただいたもので、後ろから押され移動する形です。押され動くのはなんとも面白い感覚です。3脚構成でシンプルな構成、足置きを付ければ座ったままで移動でき、このままお蔵入りするのは惜しい。シニアカーへの使い道を考えたい。

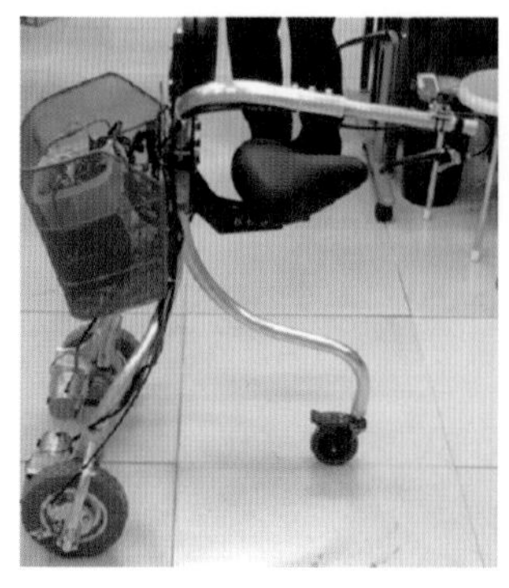

図5-13　3脚式楽ウォーク

楽ウォークの変形

弊社には開発した3次元ベンダがありますのでこれを簡単に利用できます。設計者の感性によって丸くしたり、あるいは角張ったりした構造でいろいろ試作しました。デザイナは図5-14において丸い形を好みますが、若手の設計者は曲げを知りませんので角張った形になるようです。

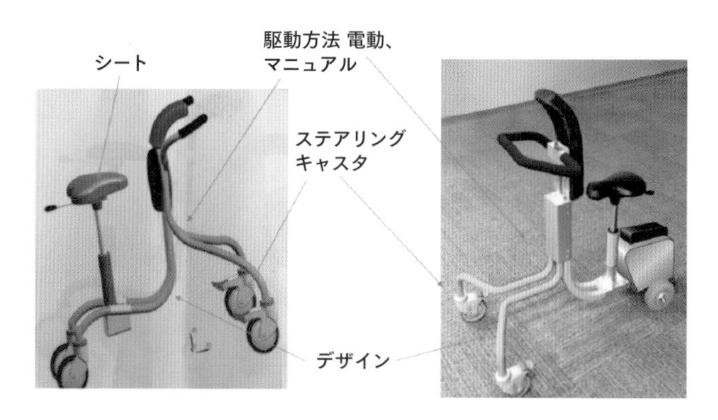

図5-14　各種楽ウォークの構造

楽ウォークのブレーキ性能改良の一例

前述の車いすのBACK BRAKEと同じような考え方ですが体幹の弱い人が楽ウォークに乗り込む時に動くと困ります。静止時にはブレーキがかっており、シートに乗るとブレーキ解除されるという独自な機構をメカトロ製造の伊藤さんが開発しました。実に面白い優れた機構です。病院に置くには適した乗り物になります。

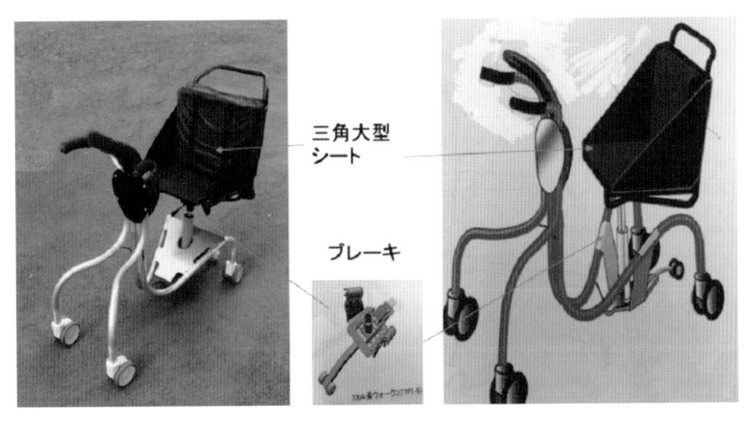

図5-15　ブレーキ解除機構を有する楽ウォーク

その他の福祉器具開発の実例

A)本態性振戦防止装置(SPIRAL FIGURED ESSENTIAL TREMOR PROTECTION APPARATUS)

本態性振戦と言ってひじが震える病気があることを始めて知ったのは今から20年前になりますがこれを防止するデバイスを早稲田藤江教授の指導の下で院生の関君が開発していました。厳密に言いますと筋電センサで患者さんの運動意志、随意運動を検出し例えば図5-16写真のようにアルミ板を曲げて腕に引っ掛けるようにしアクチュエータを動かすというきわめて高度な技術です。

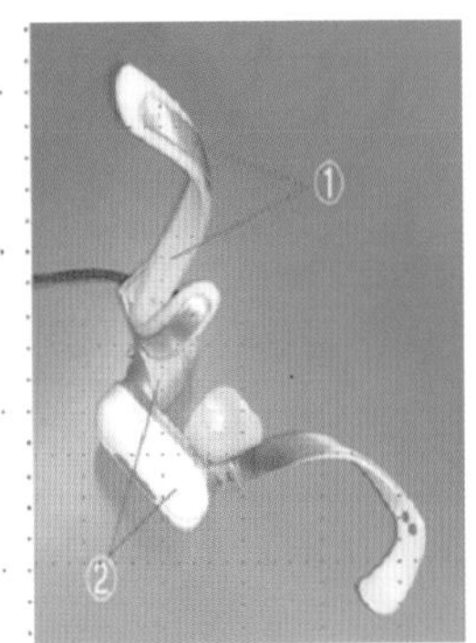

図5-16　本態性振戦防止装置

振戦の患者の方が大きなデバイスをつけるのに抵抗があるということで、もっと簡便な方法はないかと開発されたのが右図のごときデバイスです。弊社の井口顧問が作りました。ただ手首に巻くだけで、ある程度の効果が出ます。オリジナルの「鈴木」の字(左)はみだれていますが右のように良くなりました(図5-17)。

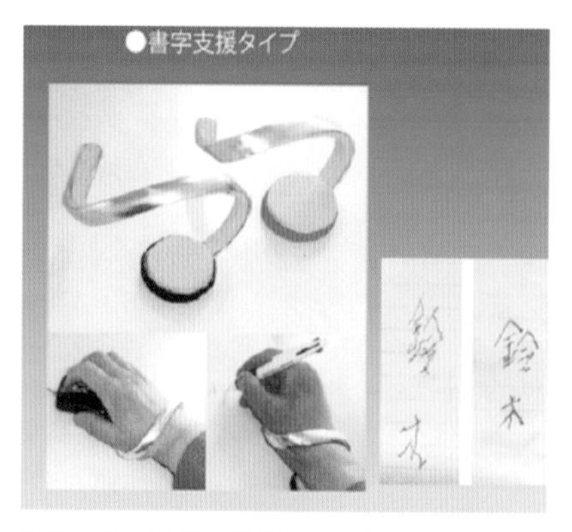

図5-17　手首の振戦防止デバイス

東工大発のベンチャ WML(WALK MATE LABORATORY)の歩行装置

固有なリズムで歩行する現象をより詳細に解析するGAIT CHECKERなるソフトウェアを開発し、医療認証をとり活用しています。歩行パターンは腰と左右の脚に3次元加速度センサ(IMU)をつけて計測します。

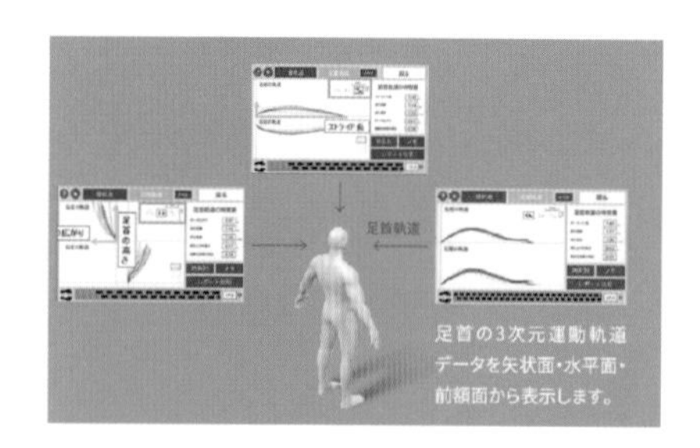

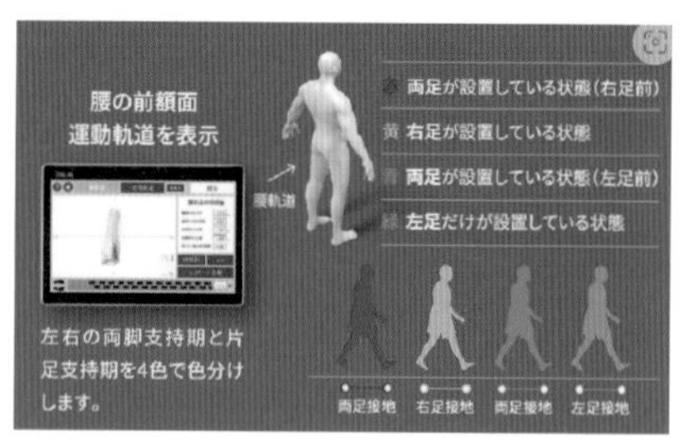

図5-18　WML社のGAIT CHECKERの説明図

上記右図は歩行パターンの3次元断面(XY,YZ,ZX)での計測例であり明確に各個人個人の特性が判ります。右図に示すように歩行は両足接地、右足接地、両足接地、左足接地のリズムを示しています。

この歩行速度とかパターンが肉体的障害で変化するのは明らかですが、例えば認知症となんらかの相関があるとも言われていますので、今後ますます注目を浴びてくると思われます。

またWMLでは手と足にアクチュエータを配置し、リズム歩行を促す歩行支援ロボット装具を開発しています。この装具をつけて妻と四国遍路に参加(2021-12/20)、丸亀市曼荼羅寺から出釈迦寺まで坂道を登って歩行支援の効果を試しました。登り勾配があり歩くのは大変でしたが、リズムが合うと自然に足が上がり楽になりました。しかし 人は勝手に止まる場合がありリズムが乱れます。この回復するまでの過度時に違和感が出ないように改善しています。

図5-19 歩行支援ロボットによる歩行実験(四国遍路)

各社のリズム歩行ロボット

リズム歩行装置は沢山あり各々特徴があって面白い。歩行というものがいかに我々にとって重要、必須なものであることを示しているのでしょう。下に示すのがHONDAの開発した歩行支援装置であり腰のモータを同期させて脚の動きをアシストする。私どもは、最初は腰から脚に動力を伝えるTHIN WALLED ALUMINUM OVAL TUBEと書いてある部品の製作を依頼され、当時3次元ベンダを駆使してして製作しました。担当者は工科大卒の斎藤秀君でしたが詰め物をして見事曲げてくれました。人の大腿部の形にぴったりと合っています。

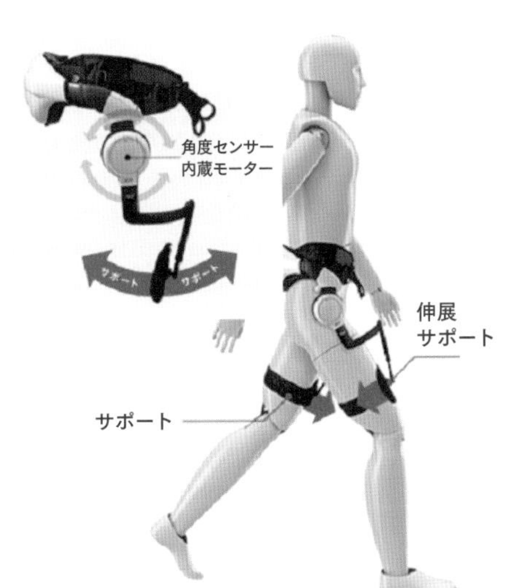

図5-20 ホンダのリズム歩行装置

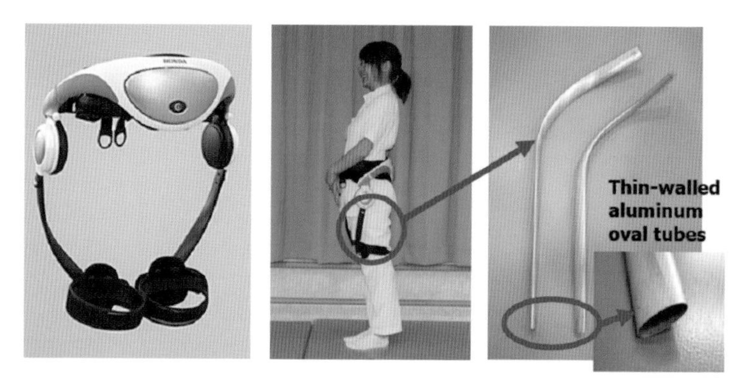

図5-21　ホンダのリズム歩行装置の詳細

医療SURGERY ROBOT分野への取り組み

超小型メタルマイクロポンプ

ステンレス薄膜８枚を拡散接合して７㎜角のマイクロポンプを製作しました。

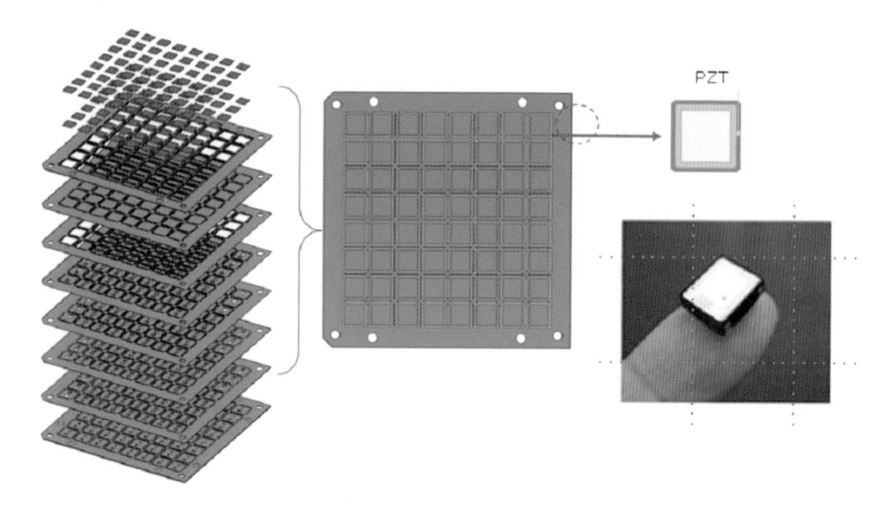

図5-22　拡散接合式マイクロポンプ

応用としましてはいろいろな分野がありますが例えば下記のように手術の現場・術後の疼痛管理で使用する装置に展開することも考えられます。

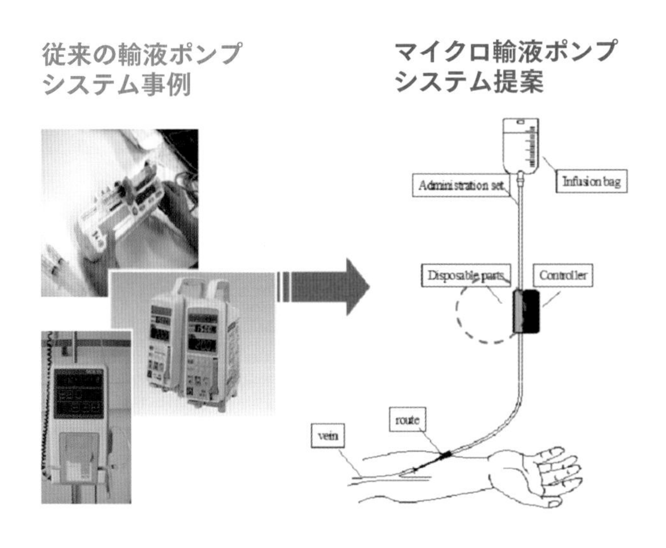

図5-23 マイクロポンプの点滴システム

針刺しロボット(PUNCTURE ASSIST ROBOT)

この分野は早大藤江研が最初に切り開いたもので、九州大橋爪先生の支援を得て主として張先生(菊池製作所から早大准教授)が進化させたものです。適用分野は最初、超音波ガイド下で肝臓がんの手術、次いで中心静脈カテーテル挿入が試みられました。ついで舞台は中国に移り、北京理工大にて神経ブロックへの応用が考えられロボットの形も出来上がってきました。

しかし事は一転し、舞台は同じ中国ですが北京と上海方面に移り、肝臓がんのRF手術を目的とするベンチャが出来ました。

一方、筋肉部位か神経組織かを弁別するのは容易でなく、AI的画像処理技術が必要です。また高速で画像処理するのが重要なテーマです。これは主に電通大が担当する分野であり、このために田野先生(学長)の指導下にTCC MEDIA LABORATORYなるSTART UPが出来ました。

穿刺ロボット

図5-24左は2台のモータからなる穿刺ユニットでありMAXON MOTORを使用した精緻なものです。ロボットはこのユニットをロボットアーム

の先端に装備しています。

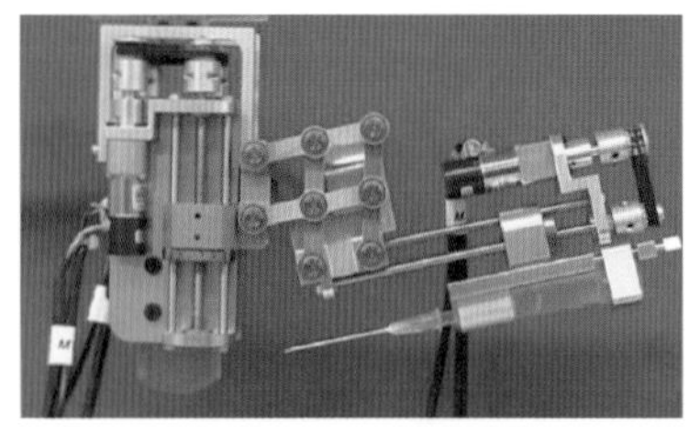

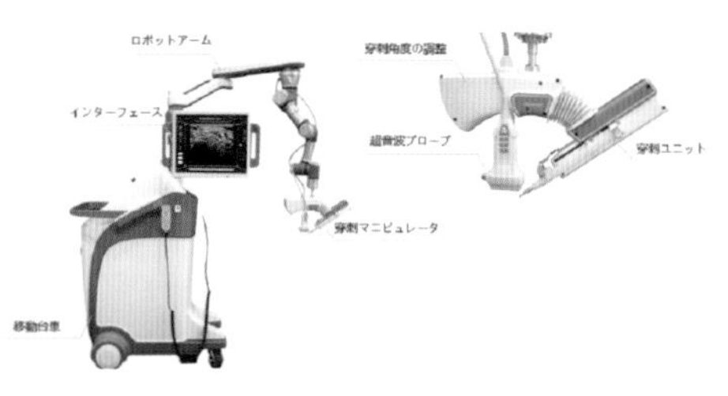

図5-24　穿刺ユニットと麻酔用穿刺支援ロボットシステム図

ニューロリハビリテーション（NEURO REHABILITATION）FESと脳磁計等の新しい動き

ニューロリハビリテーションとFES（FUNCTIONAL ELECTRICAL STIMULATIONUS）技術

20世紀までは、脳をはじめとする中枢神経は、損傷すると再生することはないと言われていました。しかし最近の研究では、損傷した脳領域周辺の細胞などから新たな神経回路ができることが明らかになってきました（脳の可塑性）。脳の可塑性はある程度まで自然回復が望め、それ以降はリハビリがさらに推進し修飾すると言われています。この損傷後の神経回復促進を目的にしたニューロリハビリテーションという概念が提唱されています。このアプローチの一つにFESがあります。

FESとは、筋もしくは末梢神経を刺激して麻痺筋を収縮させることで、その筋の随意性及び消失した機能を代償させることを目的とした治療法です。しかし、FESの理念が代償させることから、脳機能の再構築を促す様式へと変貌してきています。

A）ニューロリハビリテーションと脳磁計

FES（FUNCTIONAL ELECTRICAL STIMULATION）を使用するリハビリによって、脳の損傷部位が回復すると言われていますが、脳のネットワーク機能を計測する手法がなかったので詳細は不明でした。

NICT（松井氏）開発の脳磁計は海馬の反応を捉えることに成功しており、これを活用すれば世界で初めてリハビリによる脳の回復過程を明らかにできます。

脳磁計についてはMOON SHOT計画でも提案した経緯がありますが、未だ進展していません。FES使用のリハビリ技術の関連で、どこかで取り上げていただきたいと思います。

1.整形外科的なFES技術の応用はすでに医学分野では行われています。秋田大の島田研究室、巌見研究室を名古屋大大日方先生の紹介で見学しました。

2.FESの工学的アプローチは始まっています。私の知る範囲では慶大桂研究室、東大先端研　稲見研究室です。FESを遠隔リハビリに応用したいとの北原国際病院の期待もありますが弊社にとっては高い目標です。

3.NICT松井氏が海馬の動きを検知できるという世界に冠たる脳磁計を開発されたので、これを実用化すべくMARSなるSTART UPを作りました。東北大医学部、玉川大脳研究所等とこれからPJTを計画し、この分野で貢献したいと考えています。

FESとMEGを組合したニューロリハビリ技術の開発

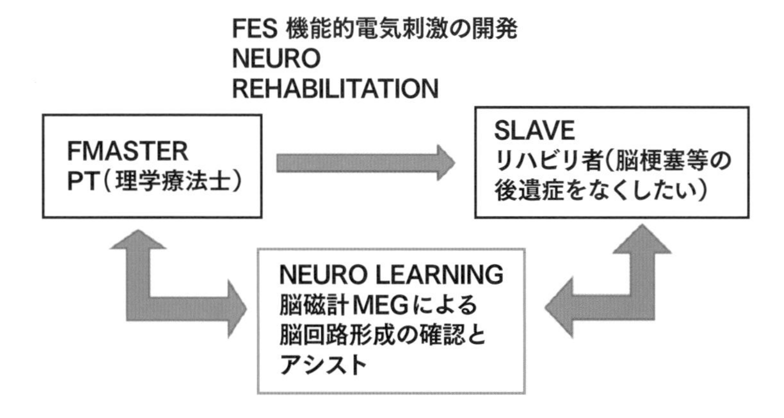

図5-25　ニューロリハビリ技術の開発

秋田大学整形外科島田研究室のFES

先年には大日方先生の紹介で、秋田大学島田先生を訪問し下図のごときFESの説明と操作をしていただきました。人によってチューニングの難易があるようですが、確かに筋肉は動くことが理解できました。

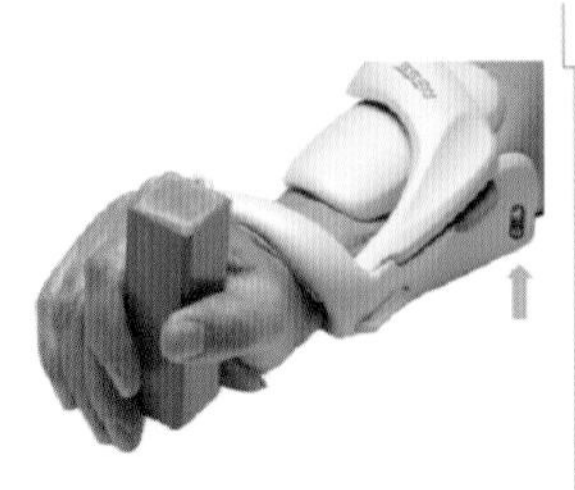

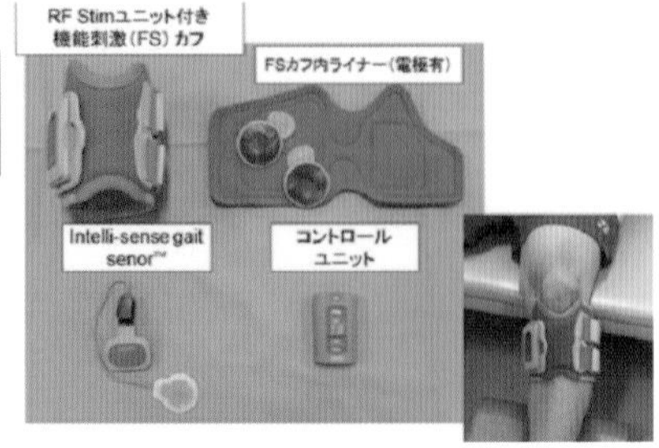

図5-26　秋田大学のFES技術

慶応大学　理工学部　桂研究室の例

モーションコピーシステム(MOTION COPY SYSTEM)(書道の例)遠隔リハビリFESを使ったスマート医療の実現のための実験を見学しました。

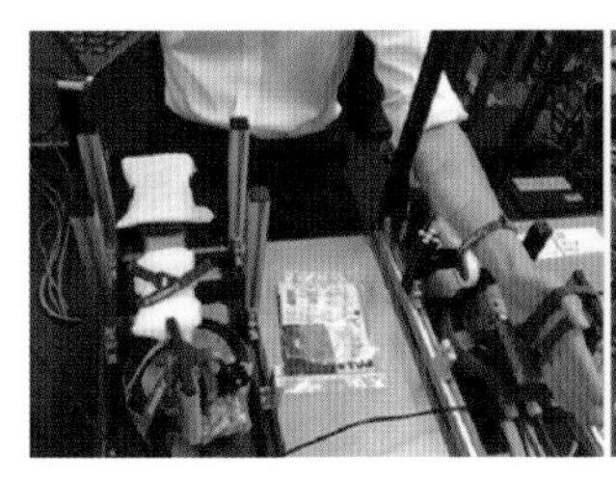

図5-27　桂研究室のMOTIONCOPY SYSTEM

東京大学　先端研　稲見研究室

身体拡張という先端的概念のもと、VR,ARの応用を展開され多くの学生が研究しているのを見学しました。

遠隔リハビリ
身体拡張
VR AR　FES

図5-28　東大稲見研の内部

大日方先生(名古屋大名誉教授、元中部大教授)の義手、義足の制御の研究

まず先生の義手による感覚フィードバックの研究について紹介します。筋電制御は修練が難しいとのことで、先生は触覚FBの導入を提案し協力を依頼されました。

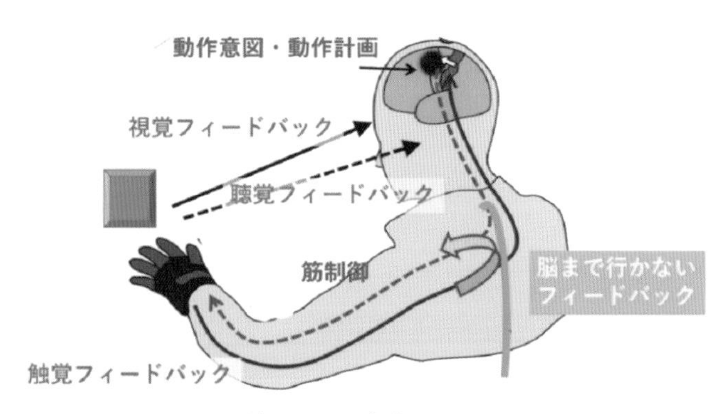

図5-29　義手による感覚フイードバック

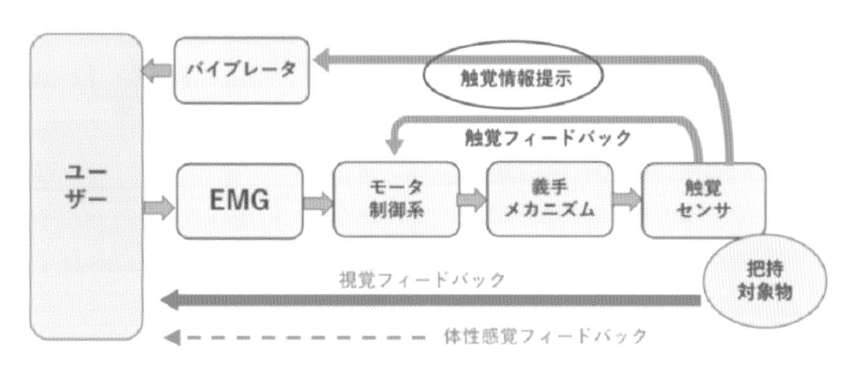

図5-30　感覚フィードバック系

また先生は下図に示しますOTTO BOCKの筋電義手を使い先生開発のデモ高感度触覚センサを用い筋電義手を使いやすくしたいとのことで研究されています。

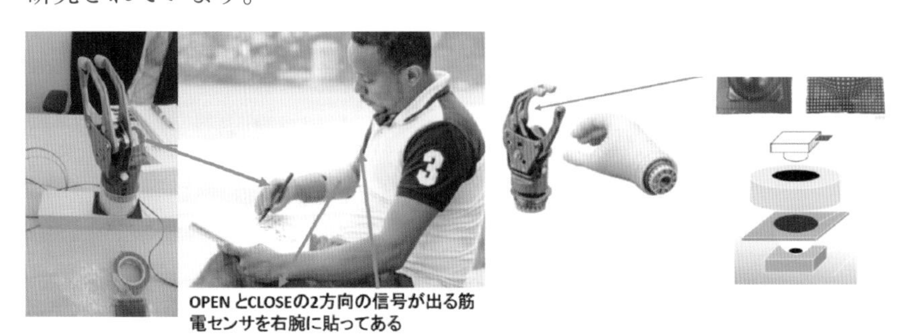

図5-31　人工義手の研究

世の中には沢山の義足があるとのことで驚きました。カンボジアに行きましてたまたまスエーデンの福祉団体の経営している外科病棟を訪問したことがありましたがそこには地雷で足をなくした多くの人がおられることにびっくりしました。世界で戦争がある限り多くの義足が必要なのだということを実感しました。車椅子に乗れば良いというわけでなくやっぱり人は歩きたいのです。

図5-32　各種の人工義足

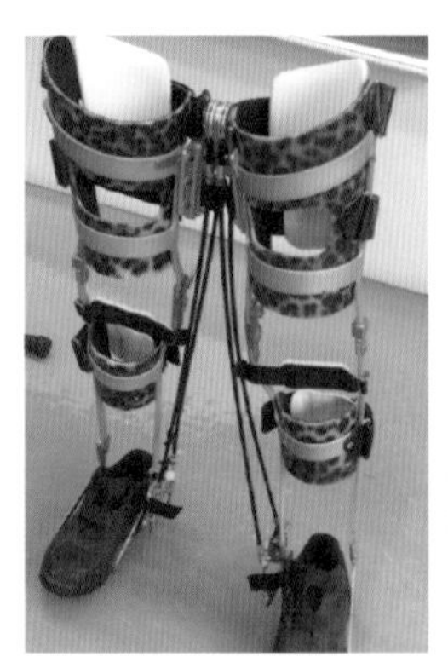
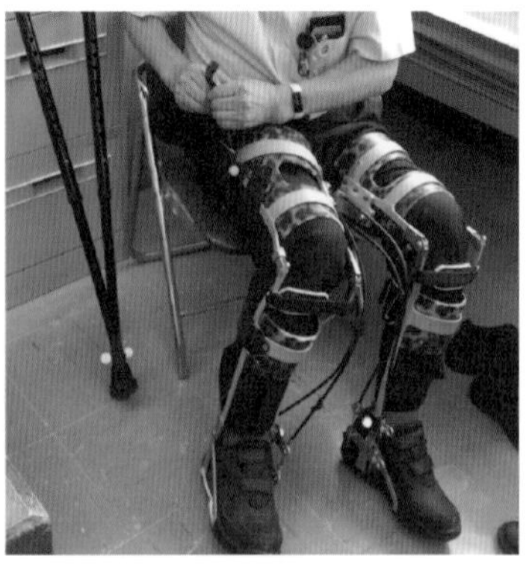

図5-33　埼玉工大長井研究室で見た人口義足

上図で示した義足を埼玉工業大長井研究室で見せていただきました。付けるのも大変な使いにくい代物です。相当練習しないと歩けません。アクティブな義足の開発が大日方先生のグループでなされていますが、その達成は簡単でないようです。詳細は文献1を参考にしてください。

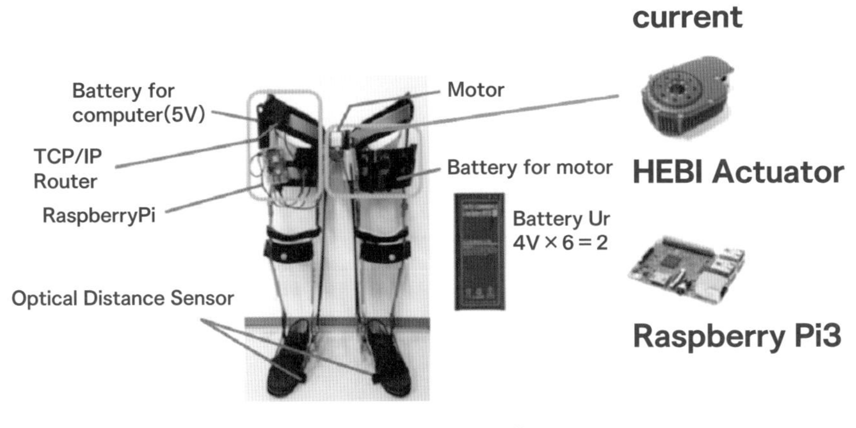

図5-34　ACTIVE電動化した義足

文献1）T.Sunada,G.Obinata,Y.Pei：Active Lower Limb Orthosis with One Degree of Freedom for Paraplegia ICINCO 2019 ,vol2, 504-509

第6章

若者を魅了した
パラレルリンク

東京工科大時代に一柳研で制作した6軸パラレル（バイクシミュレータに適用）

図6-1　バイクシミュレータ（BIKE SIMULATOR）

パラレルリンクの開発史

20数年前東京工科大機械制御工学科の教授になった時、油圧式パラレルリンクを東京精密測器に3台発注しました。この3台は工学実験でよく使われるようになり、学生の卒論における花形テーマが油圧式パラレルリンクの制御となったのです。

私の頭の中に永遠に残る東京精密測器は、東工大名誉教授の中田孝先生が一時社長をされた会社で、サーボ弁とサーボ機器を試作開発製造していました。機械は古く、決して豊かではない会社でしたが、技術は超一流でした。私は会社を訪れるたびに、先生のご子息である中田営業部長、サーボ技術のエキスパート田村様と議論しました。また、同社から独立した佐藤（慎）様には、油圧パラレルリンク等についていろいろご指導いただきました。優れた技術者は、中田先生の様な優れた指導者のもとで育つのだと思ったものです。中田先生が私の研究室を訪れ、学生の説明するMR.ARMADILLOの駆動方式を褒めてくださったことは忘れられません。それからいくばくも立たず巨星は落ちました。ご著書『藏前の想いで』は今も私の手元にあります。

先生は他界されましたが、その技術開発精神は脈々として伝わりどれだけ我々を励ましているか判りません。油圧式パラレルリンクも、先生が社長を務めた東京精密測器から生みだされたのです。

その後、東京精密測器は倒産してしまいました。世界にも稀な学者的な魂を持つ技術会社がなぜ簡単に潰れてしまったのか、残念でなりません。

パラレルリンクの応用分野はいろいろありますが、試験機、シミュレータ分野が代表的なものと思います。いわゆる振動台と言われるものですが、私は日立時代、原子力機器の中型型振動台(2m角のテーブル)をおおみか原子力工場内に建設する計画や、多度津における大型振動台(10m角のテーブル)を建設する計画に参画しました。更に大きい振動台、E-DEFENCEが登場した時、この駆動方式として日立は静圧軸受け方式を、三菱重工はリンク式を提案。どちらが良いか競争したものです。

パラレルリンクの制御がもとでパイプベンダの研究が始まり、先輩の先生からは無理だといわれた産学連携も始まりました。私は指図なしの雑草スタイルで道を切り開いてきたので、学校成績などは重視していません。頼りなさそうな学生の姿を見ても驚きません。「受験戦争に負けても、地頭がよく元気があればなんとかなる」と思い、産学連携に取り組んでみたのです。

すると、思った通り出来る、出来る。「なんでこんなにできる連中がいるんだ」という事になりました。CADを操って設計が旨い、ソフトが強い学生が続々と現れたのです。ただ、工学の常識が不足している学生もいるので、産業界で働いたことのある多くのシニアの方々を招聘し、マンツーマンでの指導をお願いしました。油圧で世界的に著名であった喜多先生(元島津)、モノづくりに卓越されている安藤様(元プリンス自動車)、伊藤様(雪ヶ谷制御)といった方々です。

弊社、すなわち菊池製作所の菊池社長とは、当時から付き合いがありました。で、なんとしてもパラレルリンクに関する国家プロジェクトを取ろうという話になり、親の最後に立ち会えないこともありましたが、大型のプロジェクトで3年間、約2億円を獲得することができました。

この結果に自信を持ち、一柳研の修士学生と、菊池製作所に入社した一柳研OBの八戸、吉田両君を主力実験メンバとしてプロジェクトを始めました。また、ベンダの曲げ計測法につきましては、法政大田中豊先生にお願いしました。NC制御のことは、機械振興協会の主任研究員であられた五嶋氏にご指導いただきました。さらに、三枝氏にはプロジェクトの管理、安藤氏にはベンダの機械的計測法開発、佐藤慎氏には油圧ベンダの設計開発、福岡氏にはアルミパイプの塑性加工の指導……こうした素晴らしい方々のもろもろの協力を得て、プロジェクトを推進したのです。

この研究は、長い私の人生において本当に素晴らしい体験となりました。学生パワーがいかにすごいか。MATLAB SIMULINKでベンダの制御をするし、LS-DYNAで塑性力学のシミュレーションもする、電動式と油圧式の大型ベンダの製作もするという具合です。予算を獲得し、これに教師の企画力とできる修士、あるいは博士学生がいれば、すごい開発ができることが良く判りました。

パラレルリンクのテーマは拡大していき、当時ヤマハの山県先生の協力を得て油圧式の大型バイクシミュレータを開発しました。しかしバイクのスラローム運動のストロークはm単位の動きですので、上手く現象をシミュレーションするに至りませんでした。

また小型バージョンは電動式のハプチックパラレルへと発展し、アブダビ石油学院とカタールのドーハ郊外にあるテキサス農工大カタール校に納入。納入指導のため、初めてアラブ世界へ行きました。アラブでは契約違反するとお金を支払わないとのことで緊張しましたが、納入機は首尾よく動いたので大丈夫でした。

一方、広瀬様の指導で真空用精密パラレルリンクに取り組み、OLYMPUSのカメラ開発に使われるに至りました。これは広瀬様の考案した2重球面接手 (DOUBLE SPHERICAL JOINT) を使用したものです。

従来のSTUART式パラレルは、動作角度がせいぜい20度で動作角度が小さいという欠点があります。これを抜本的に解決するのがハイブリッド回転パラレルであることを教えられ、東大の高増先生、法政大の田中豊先生、九州高専の田中義人先生、東工大の武田先生のご指導を得て研究しました。その結果、パイプベンダの応用を図り実務に適用するに至っています。

これらの過程でドイツに遠征する機会がありました。当時ヨーロッパでは、パラレルリンクの工作機械への応用が盛んでした。ドイツの研究所で応用例を見学しましたが、大型の油圧式PIPE BENDERがありびっくりした覚えがあります。AACHEN工大では航空機の大型アルミ構造体の加工がなされていました。日本では大隈鉄工の機械を見学したことがありますが、他に実用化した例を知りません。ドイツの大学は日本の大学と違って高精度の部品を作る力を持っています。

パラレルリンクの典型的応用例としてフライトシミュレータを示します。油圧と電動の2方式がありますが、要するに6個の自由度を持つ面を6本のアクチュエータで動かすものです。シリアルリンクは後に示します様に、建設機械のフロントと称する部材に相当しリンクを直列につないだものです。

図6-2　フライトシミュレータ

ハプテックパラレルの力および位置――力のハイブリッド制御概要

ハプテック(HAPTIC)とは力制御という意味で、パラレルリンクは単に位置決めするだけでなく同時に力感覚を与えられるデバイスです。これを気に入ったハマド君が、自分の新しい勤め口アブダビ石油学院から1セット発注してくれました。彼は大学で歩行ロボットの制御で博士号を得て、アブダビ石油学院の先生になったのです。彼の今の研究は図6-3に示した多足歩行ロボットだと知らせてきました。

図6-3　HAMAD君の多足歩行ロボット

図6-4　UAEは金細工にあふれている

図6-5　ハマド君との打ち合わせとその装置

図6-5は石油学院でハマド君と開発担当吉田君と打ち合わせしている状況です。

光軸合わせ用パラレルリンク機構

日立製作所の戸塚工場を訪問した時、液晶プロジェクタの緑、赤、青の3原色のミラーを正確に調整するのが大変という話を聞き、研究を始めました。下図に示しますのが液晶プロジェクタの原理図です。担当したのはマレーシアからの留学生でした。これまでは光軸合わせ用の検定は図6-7のごとくシリアル式(積み上げ式)のジグを使って調整していたとのことですが、これをパラレルリンクで置き換えようとしたものです。

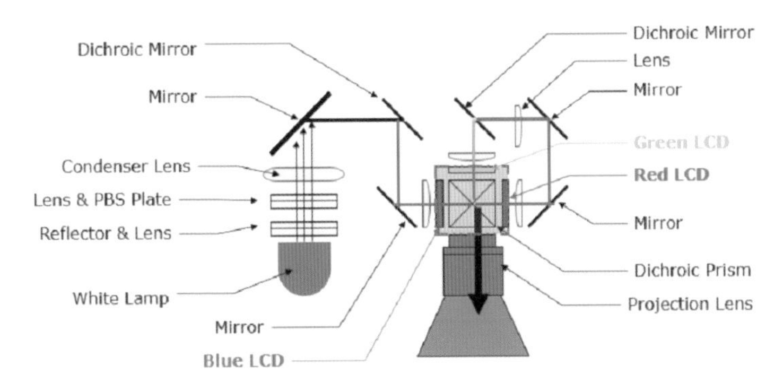

図6-6　液晶プロジェクタ原理図

調整範囲は微小ですのでパラレルリンクで十分と考え、最初は図6-8のごとくやや角度の少ない6軸パラレルを試作して測定JIGをテーブルに乗せてみました。

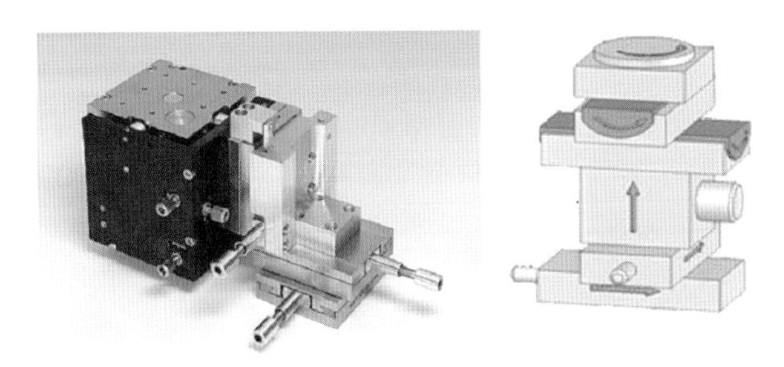

図6-7　シリアルリンク検定JIG

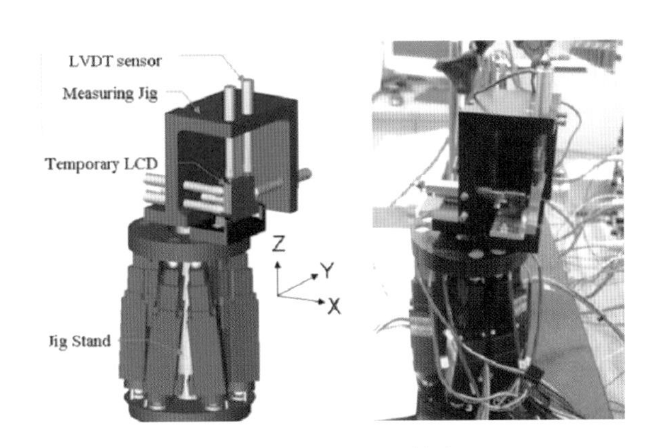

図6-8　シリアルリンク検定JIG

だが少し立ちすぎということで、下図（図6-9）のごとき形に変更いたしました。これによって性能がでるようになりました。やはりパラレル機構の動作範囲を取るためにはテーパ角度を十分とることが必要です。

Table 4.2 Specifications

Size	Height	130 [mm]
	Platform Diameter	70 [mm]
	Base Diameter	120 [mm]
Working Area	Translate in X-axis	± 3[mm]
	Translate in Y-axis	± 3[mm]
	Translate in Z-axis	± 3[mm]
	θx Rotation	± 5[°]
	θy Rotation	± 5[°]
	θz Rotation	± 5[°]

Fig 4.2 New model

図6-9　検定用のパラレルリンク式JIG図

光軸合わせ用パラレルリンクに使用したアクチュエータは図6-11のごときものでオリエンタルモータから購入したと記憶していますがコンパクトで使い勝手良好でした。

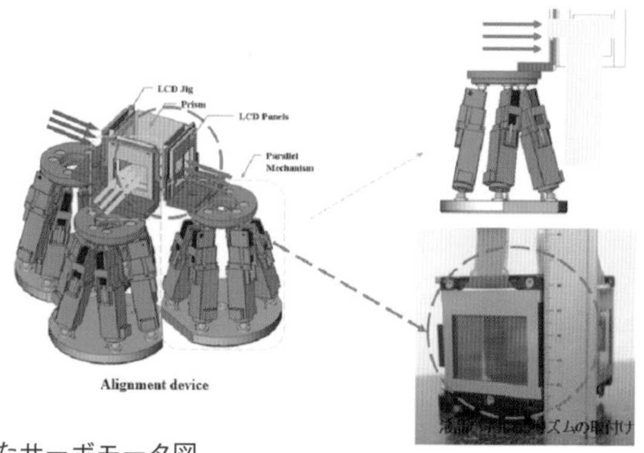

図6-10　使用したサーボモータ図

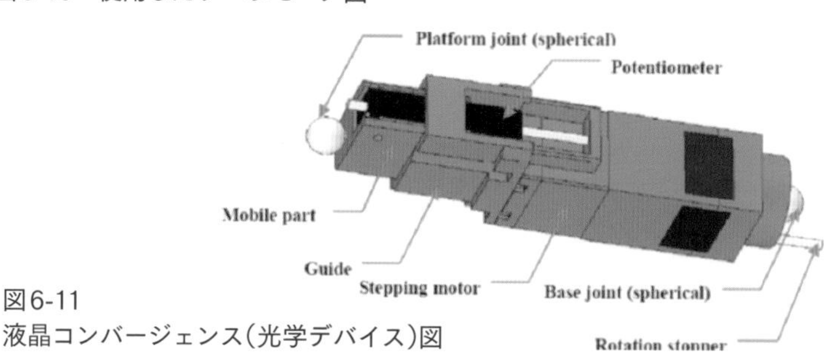

図6-11
液晶コンバージェンス(光学デバイス)図

これで性能が出ましたので、図6-10に示す様に3台のパラレルリンクを使い3原色の調整を行いました。このように3台協調して使うなんてことは初めてでした。これで図6-12に示すように各軸を微妙に調整することが出来ました。

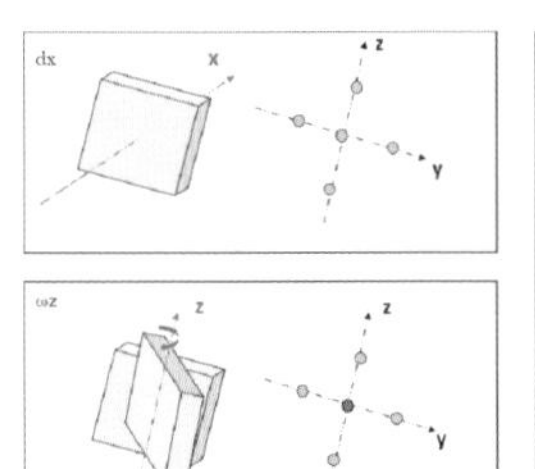

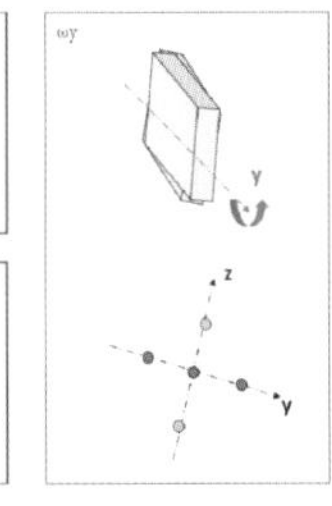

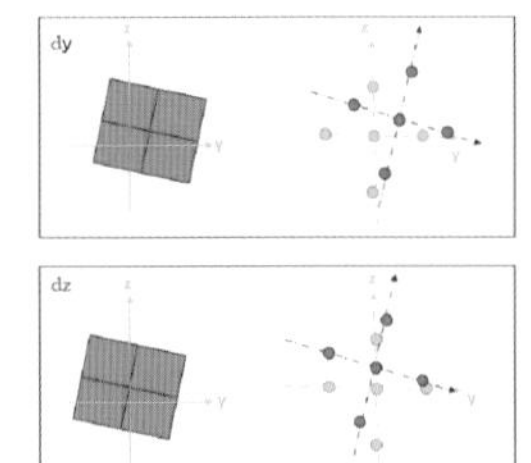

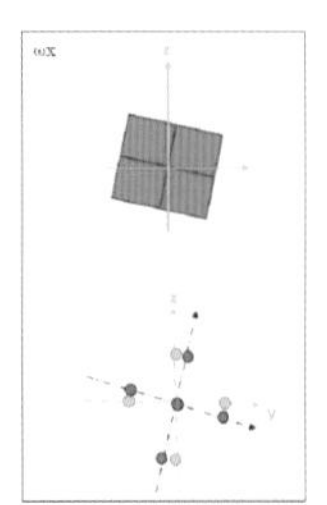

図6-12　3台のアクチュエータによる光軸調整

直動パラレル　真空装置向け等

2重球面軸受けは広瀬様が発明されたものです。すべて転がり軸受を採用していますので、精度が高いのが特徴と思います。下(左)図に○で表示したところに2重球面軸受けが使用されており、矢印のポイントを上下動させるものです。外観図および写真を図6-13に示します。

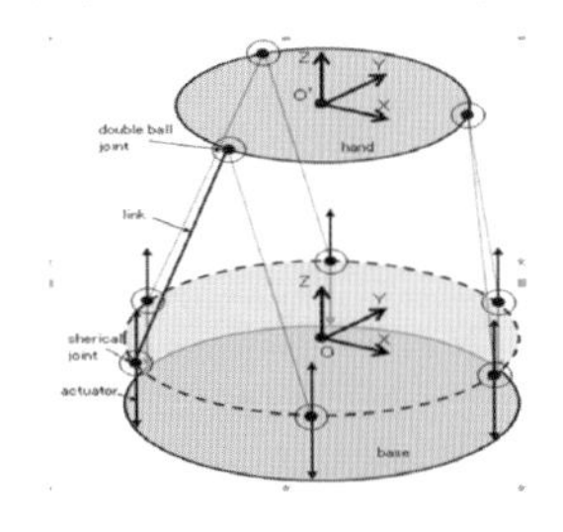

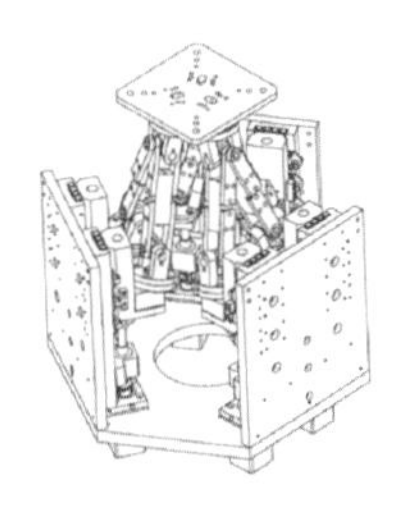

図6-13　直動パラレル機構

この継手の写真と図面を下記に示しておきます。

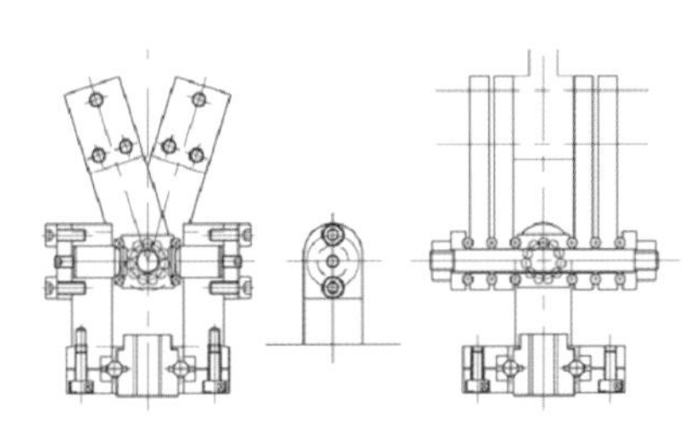

図6-14　直動パラレルの継手構造

この様な装置ですので、超微量なクラスタイオン加工装置(兵庫県立大—航空電子)のモーションベースとして適用できたものと考えられます。

精密工学の粋というべきこの素晴らしいパラレルリンクについて、ご指導いただいたのが広瀬様です。その広瀬様を頼って日本に来たのがルーマニア、クルージュナポカ工大出身のパラレルリンク専攻のオレア(OLEA)博士です。先年、ドイツ、フライブルグ市に広瀬様(左端)と訪問しました。

図6-15　広瀬様とOLEA博士(中央)

ハイブリッドパラレル機構

STUART式のパラレル機構は線形的に取り扱いができ操作しやすいと思いますが大変形になると座屈が発生し使えません。例えばパイプベンダへの応用を考えた場合には大きく曲げることが出来ません。これでは困るというわけで大変形が出来るハイブリッドパラレル機構を考案したわけです。この分野については東工大の武田先生、法政大の田中豊先生、九州高専田中義人先生にはずいぶんお世話になりました。図6-16がモデルです。

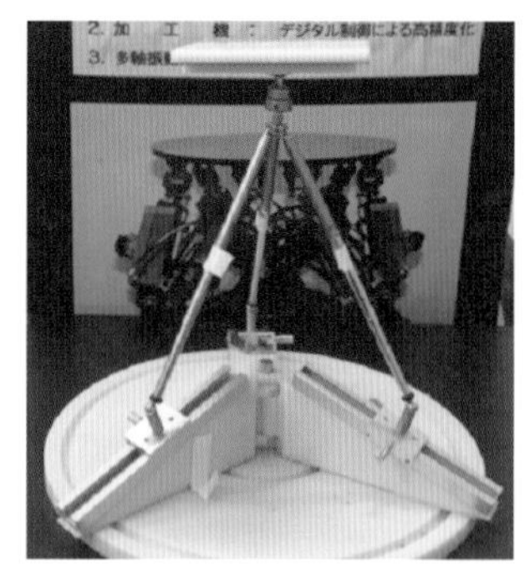

図6-16
ハイブリッドパラレル機構

P　PRISMATIC　直線移動継ぎ手

S　SPHERICAL　球面継ぎ手

R　ROTATIONAL　回転継ぎ手

とするとき、この構成にて6軸運動を実現できます。すなわち、併進運動X,Y, Zと回転運動θ X, θ Y, θ Zの組み合わせです。

図6-17右が東工大の中国人留学生が曲げ実験をしている状況です。

機構部はモデル通りに設計されています。東工大武田研究室で研究されたハイブリッドパラレル式ベンダは左に示すごとく角度は軽く45度を超すことが出来ます。改造したハイブリッドパラレル機構を独自に試作しベンダに応用しています。

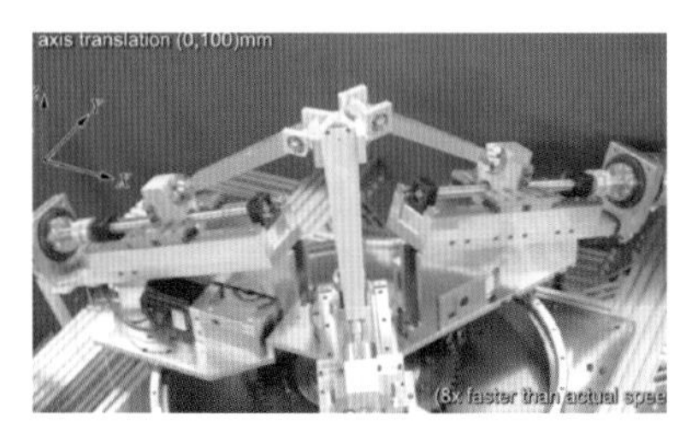

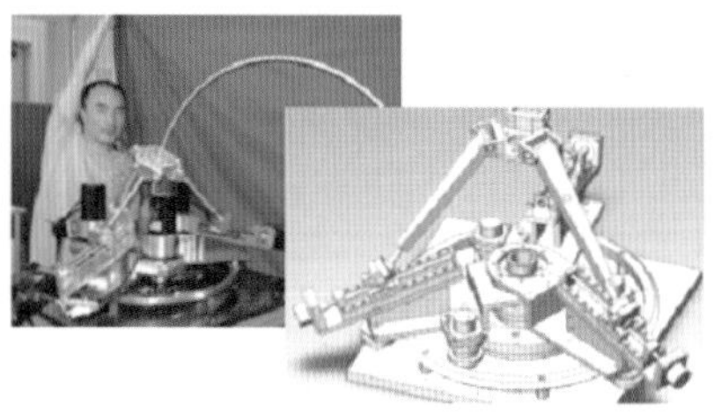

図6-17　開発したハイブリッド機構

図6-18は下部球面機構を平面状に展開したもので、フライトシミュレータのごとき移動体のシミュレータとして法政大田中先生と検討したものです。角度が大きくとれダイナミックなシミュレータが出来ますが残念ながら実用までもっていくことはできていません。いつか自由な発想を持つ若者と組み実用化したいものです。

図6-19は平面ハイブリットの構成図です。。

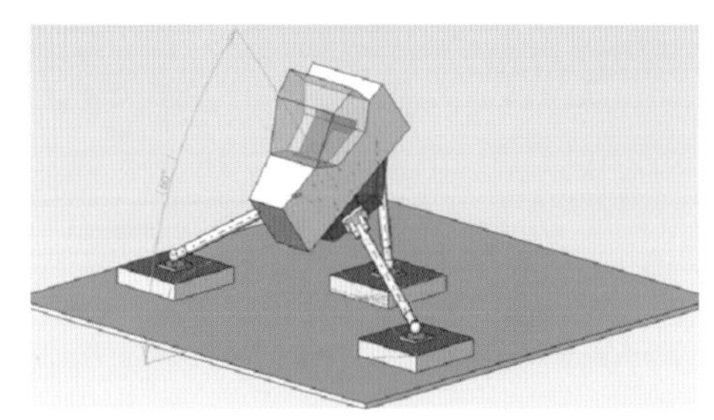

図6-18　平面ハイブリッドパラレル機構

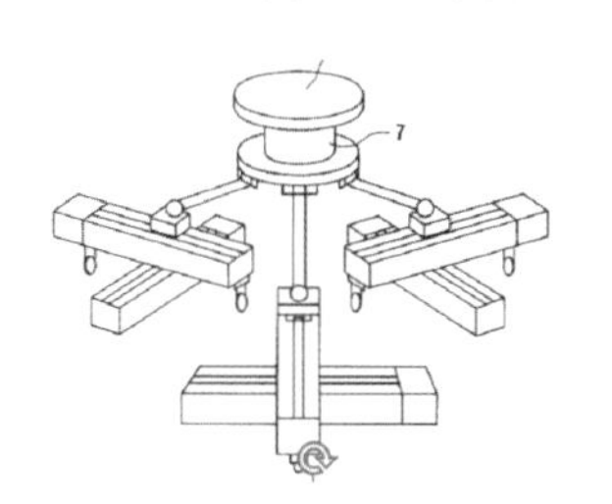

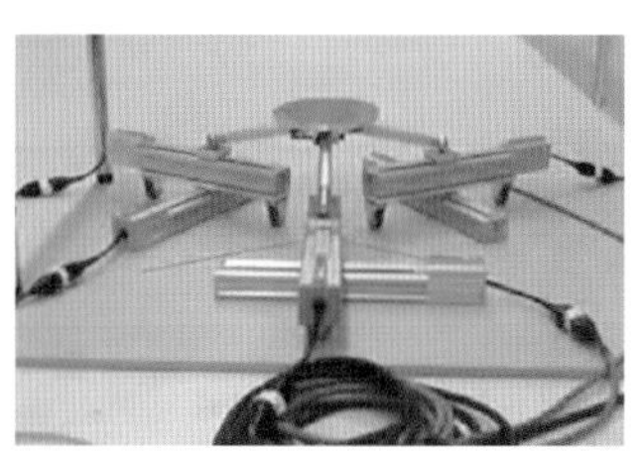

図6-19　平面ハイブリッドシミュレータ

第7章

若者の力を示した
3次元パラレルリンク式
パイプベンダの開発

パラレルリンク式パイプベンダの開発

2002年、東京工科大学機械制御工学科で油圧式STUART型パラレルリンクを応用した縦型ベンダを試作したのがスタートです。

その後、国の大型プロジェクトをいただきパラレルリンク式3次元ベンダを開発開始しましたが、学生パワーで大きな進展が得られ工科大の知名度を上げることができました。

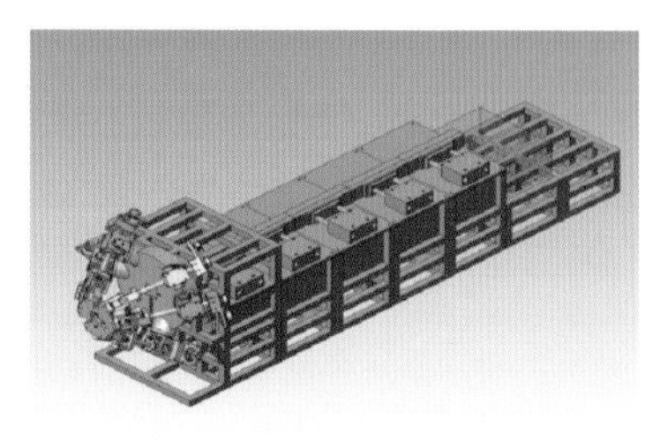

図7-1
パラレルリンク式パイプベンダ

ベンダは菊池製作所においても継続開発し、一つの分野として成長しました。特に福祉機器、たとえば楽ウォークの試作に活用することができました。

工科大卒業生の優れたクラフトマンシップで難しいベンダを使いこなしてきましたが、運転の自動化が十分でないのは残念です。

将来的には曲げ形状測定法を確立して、自動制御を実用化したいと考えています。

3次元加工を目的とした押し通し方式のシリアル式ベンダは、電通大で開発されました。角度制御はポジテブに行わずネガテブに行う、すなわち球面座付ダイスを使用して、曲げパターンに従って傾斜します。曲げダイスをXYテーブルで動かせば良いという、ある意味では合理的な構成です。

これに対しパラレルリンクを使用するベンダは3軸の角度も制御できる特長があり例えばねじりなど得意という事になりより本格的な3次元加工ができるベンダと言えます。

従来の曲げ方式

従来の方式は回転引き曲げ、押し付け曲げ、ロール曲げおよびプレス曲げといろいろありますが、基本的にはダイスに強く拘束して無理やりに変形させるという形です。

これに対して押し通し方式は、図7-2に示すように固定ダイス (FIXED DIE) に対して可動ダイス (MOBILE DIE) を距離V、角度Θを曲げ形状、曲げ半径Rに合わせて設定します。パイプはプッシャ (PUSHER) で押されて出てきます。

マンドレル (MANDREL) は、パイプが潰されないように形状を保護するためのデバイスです。これはすべてのパイプに適用されるわけでなく、とくに薄い形状の場合に有用です。

この形を3次元的に展開したのが図7-3に示す我々の開発した6軸パラレルリンクベンダです。

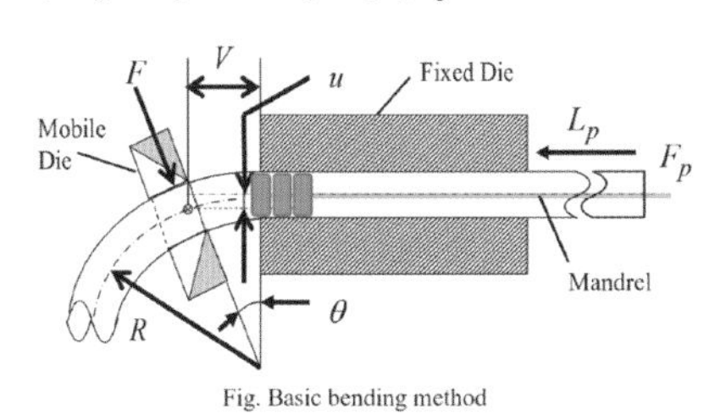

図7-2　押し通し曲げの原理

図7-3　押し通し曲げ式ベンダ

パラレルリンク式ベンダの開発例

図7-3はシミュレータ図ですが実際にもらせんが同じように出てきます。

横型大型油圧式ベンダ

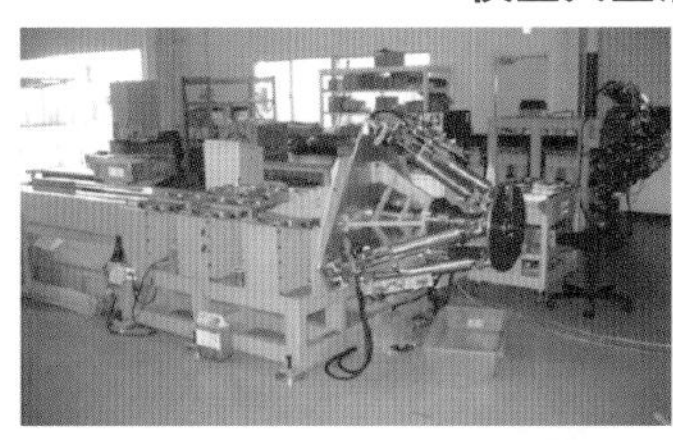

図7-4　開発した各種ベンダ

これに魅せられて、上に示しますように3台の大きなマシンを作りました。油圧式は流体サーボの佐藤(慎)様の指導を受けました。電動方式は菊池製作所の若手メンバ八戸君と吉田君が設計製作してくれました。

従来のマシンでは直線と円弧の組み合わせで、2次元的で造形性に物足りません。ON OFF動作で工夫の余地がなくものづくりの楽しさが湧いてきません。我々のベンダはこれを解決した魅力のあるマシンです。

パイプベンダの道を切り開いた縦型ベンダを図7-5に示します。ベンダヘッドは東京精密測器の油圧式パラレルリンクです。前にも述べましたように、これで研究室の全員がパラレルリンクの制御を勉強したのです。　当時の修士学生の一人、寺内君がこれでパイプを曲げてみたらどうかと提案してきたのです。それは面白いということで、この縦型からパイプの曲げが始まりました。この経験で国の資金を得て大型ベンダの開発に着手し、多くの学生がそれによって学士、修士論文を書くことが出来ました。

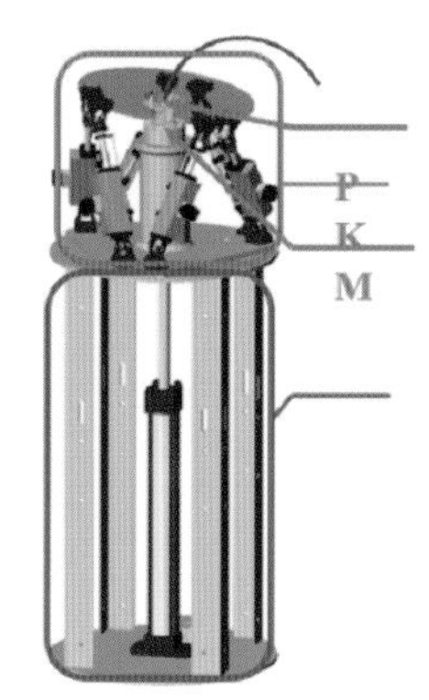

図7-5　縦型ベンダ

また法政大工学部の実験室にも1台小型マシンを納入しました。

教育用6軸トラニオン式パラレルリンクを用いたパイプベンダ

- ●３次元空間曲線を形成
- ●曲げ―ねじりの複合曲線形成
- ●丸、角あらゆる断面形状加工
- ●車、飛行機、車いすの自作可能
- ●最新７軸サーボ運動機構と制御が学べます
- ●パイプ　アルミ 20Φ、20角×２m長さ
- ●ダイス変位-X,Y,Z ± 40mm
- ●ダイス角Θ、Φ、Ψ ± 20度
- ●R / D ≧ 4.5　R：曲げ半径

図7-6　法政大に納入した6軸ベンダ

D：ワークの代表寸法

各種ベンダの曲げ形状

このパラレルリンク式ベンダは高度なマシンですので設計製作も容易でありませんがやはり得意な学生がいまして旨く設計してくれました。前記1号ベンダは八戸君、2号ベンダは吉田君が担当したと記憶しています。送り装置には大きなBALL SCREW、パラレルには6個の小型SCREWが必要でいずれも精密部材で専門知識が無くては設計できません。

NCサーボ制御は当時機械振興協会にいた五嶋研究員に指導していただきました。NCサーボ機器につきましては入間市のモータ制御専門会社山中社長にお願いし協力いただきました。

機械を操作して曲げるには独特の技と感性が必要です。ソフトが書ける斎藤君と石倉君の2人が心技一体という感じで本当に頑張って曲げてくれました。下図は電気式1号ベンダを使用した斎藤君の角アルミパイプの曲げです。このベンダは使用しすぎてスクラップとなりましたが、ついで電気式2号機を担当してもらいました。

このベンダは出力を大きくするために独特な構造を取ったことがあだになり、若干不安定なところがありました。彼はそこを承知でうまく使いこなし楕円薄肉パイプの曲げに挑戦しました。座屈しないように粉体の詰め物をしての複雑曲げねじりでしたが、何とか性能を出すことが出来ました。

右図は彼が操作しました角パイプの曲げの例です。

図7-7　角パイプの曲げの例

図7-8は石倉君の油圧ベンダによるアルミパイプの3次元曲げです。これも大変で、安定な性能を出すのに本当に苦労しました。

図7-8　油圧ベンダの曲げ

その後に製作したベンダ 大型と回転式

パラレルリンク式ベンダ

パイプ曲げにつきましては、その後も意欲が衰えることなくいろいろな資金を集めました。どこにもないような大型の本格的なパラレルリンク式パイプベンダを、(株)イーテックの協力を得て実現することもできました。

まず1軸、5Kwの出力10TONのBALL SCREW駆動のユニットを試作して性能を確認し、これを6台合わせてパラレルリンクとしました。

モータは全部で10台使用しています。パラレルリンクには6台、パイプ送りとマンドレル用に2台、パイプガイド4台です。MECHATROLINKでパラレルリンクと送り装置を制御しています。図7-9がその外観です。ここまで大きな機械になりますと単純な曲げを例にしますと角度をつけることが視覚的に怖くなります。

しかし、ねじることには抵抗がありませんのでなるべくこれを使いたくなります。

50-60φ程度のパイプなら楽々曲げることが出来ると言っていた私は、操作が難しいため実は曲作業をしたことがありません。

機械を設計することと、操作することとは実は別なのです。建設機械、例えば油圧ショベルを設計する設計者は、操作することは上手くありません。設計し、物が作れ、それを自分で操作できる人は、限られた技術者だけです。

その数少ない一人である早稲田出身の関君（研究員）は、この大きなマシンを1人で操りパイプ曲げをしていましたが、なんとも迫力満点でした。

私の知る限りにおきまして、このような大きなベンダはドイツフラウンホファ研究所でしか見たことがありません。ぜひとも建築分野等において活用できればと思います。

しわ抑制用マンドレル位置制御可能
パイプ送りガイド独立制御可能
パレルリンク本体　モータ　6軸
送りとマンドレル　モータ　2軸
ガイド4箇所　モータ　8軸
計　モータ　16軸

図7-9　開発した大型ベンダ

参考のために2次元設計図と制御概念図を図7-10と図7-11に載せておきました。

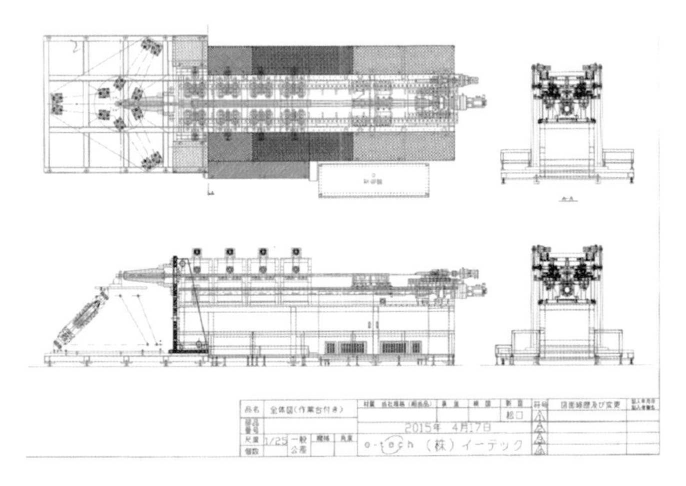

図7-10　開発した大型ベンダの図面

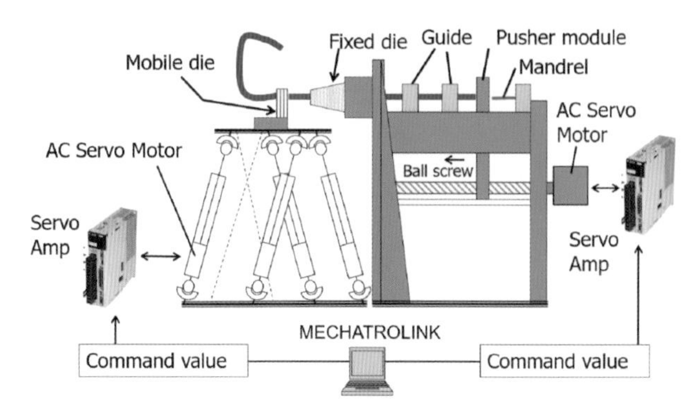

図7-11　大型ベンダの制御概念

平面回転式ベンダ

東工大武田研の流れのベンダは回転が大きくとれますので、らせんを形成するのが得意です。下図に示しましたのが、回転部に角度をつけて小径のらせんを作製している状況です。

図7-12　平面回転式ハイブリッドベンダ

原子力プラント向け高周波ベンダ

日立時代には梶原技師長の薫陶を受け、圧延機の油圧圧下装置(HYROP-F)を開発し、評価をいただきました。これに続いて新しく原子力分野に貢献できたことのうれしさは、言葉になりませんでした。丁度、半世紀前になりますか、日立研究所企画室に在籍していた頃、原子力が大きく事業展開し東海原発、福島原発、美浜原発等が続々建設され見学に行きました。そうして炉心の中を見て原子力のすごさに驚嘆し、いつかはなにか貢献できたら素晴らしいと思っていました。原子力とは配管のかたまりであることは判っていましたが、自分が関係するなんて想像することはできませんでした。

高周波ベンダとの出会いですが、開発経緯を記しておきたいと思います。平成20年(2008年)頃、「熱間高周波ベンダが工学院大で開発されている」と赤羽アドバイザ(当時菊池製作所の開発部長で工学院の出身)から聞きました。

面白いということで見学に行くことになり、始めて工学院八王子の宮坂準教授を訪問しました。そこで共同開発者の(有)OTAS佐藤氏にもお会いし、曲げサンプルを見せてもらいました。初めて増肉曲げの概念を知り、かつ高周波曲げの原理の説明を聞きましたが当時は良く理解できませんでした。しかし、面白い曲げがあることに新鮮な驚きを感じました。紆余曲折はありましたが、幸運なことに多摩TLOの援助で資金を獲得し、この増肉曲げのベンダを実際に製作することができました。実に独創的な面白い装置でした。図7-13です。

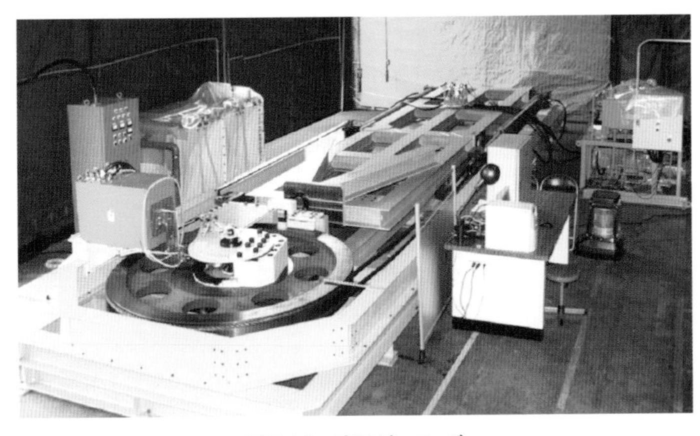

図7-13　高周波ベンダ

原理は軸力を加えつつパイプを曲げることで増肉するというアイデアです。

具体的には図7-14のF,Gシリンダの動きをサーボ制御してパイプに軸力を付与させます。

水冷銅リングコイルで鋼パイプを高周波加熱し、局部曲げを発生させる方式です。

日立機材でも太いパイプの高周波曲げを見学したことがありますが、装置としてはそれよりコンパクトで素晴らしい性能を示しました。

図7-15に示しますように始めて高周波でパイプが真っ赤になることを見まして、世の中にはすごいことを考える人がいるものだと思いました。

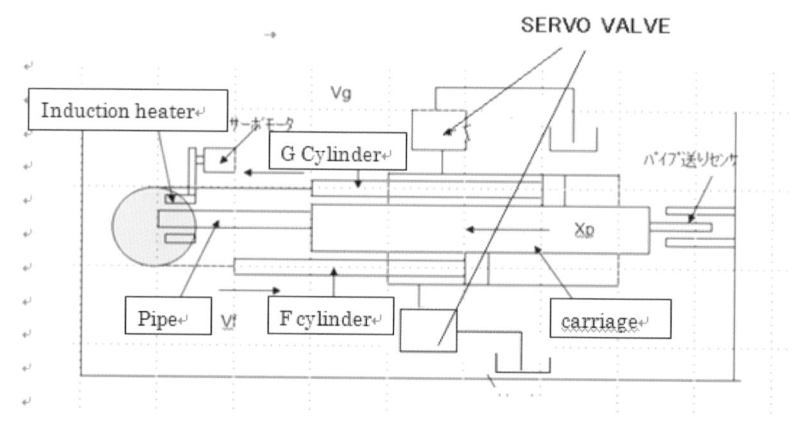

図7-14　増肉曲げの原理図

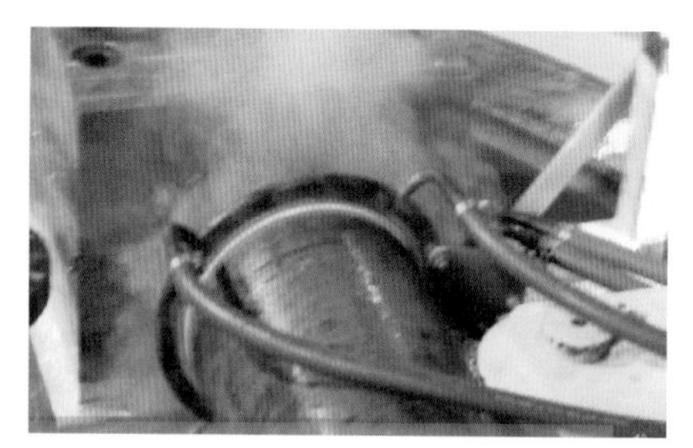
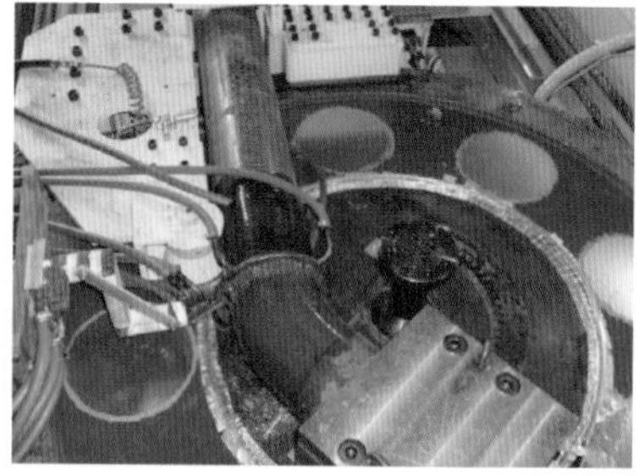

図7-15　高周波ベンダにおける曲げ状況

実際に曲げたサンプルを下図に示します。問題は引っ張り部が薄くならないようにしたいという事ですので圧縮部は当然さらに増肉します。これは問題ないのですが少しバックリングしたような襞が生ずる場合があります。

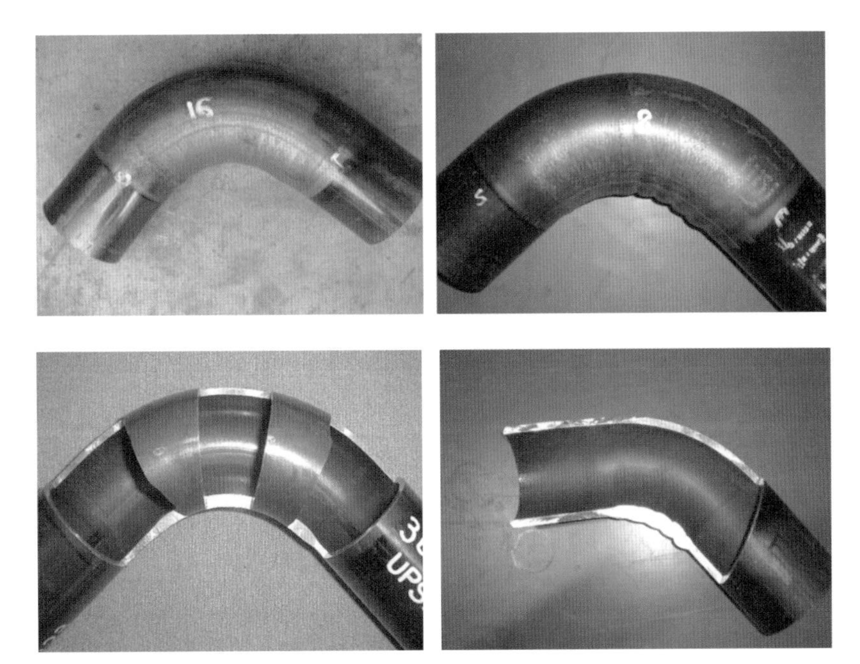

図7-16　増肉曲げのサンプル

この高周波BENDERがOTAS 佐藤氏の執念の最後の作品となりました。この性能に刺激を受けまして、日立機材のメンバも高周波装置を持ち込み実験に参画いただきました(2008/12/7　2010/3/14　2011/3/5)。ですが、貴重な経験となりましたが当時の原子力アゲンストの雰囲気の仲ではこれ以上の進展はありませんでした。しかし日立に奉職し人生の大半を過ごした技術屋として、本当に楽しい貴重な経験となりました。

しかし、原子力の冬の時代は近時のエネルギ危機でそろそろ終わろうとしています。世界でより安全な新プラントの構想が発表されています。しかしいかなる形になりましてもパイプは大量に必要とされることは間違いありません。その時には再び若者が立ち上がり、このベンダで大型パイプをドンドン曲げて頂きたいと思います。その時に時代に先駆けた先輩の苦労も報われます。またこのほかにもCNCベンダについては(株)大洋の岡田技師長をはじめ多くの方にお世話になりました。ここに付記し謝意を表します。

第8章

若者と作った
災害対応ロボット車両

アルマジロとロコモーション

もともと私は日立建機で10年間開発に従事したので、クローラ駆動とかタイヤ駆動というもの、いわゆるロコモーションに関心を持つようになりました。

大学では、学生さんとおおいにロコモーション研究を楽しみました。それでアルマジロ (MR.ARMADILLO) なる変な名前をつけたクローラ駆動のロボット車両を、学生と一緒に作りこみました。これに関連しましていろいろなことが昨日のように思い出されます。1つは地雷に関することで、カンボジアの地雷原に行きました。

なんのためかって？　アルマジオで役に立つ仕事DEMINING(地雷除去) ができないか見に行ったのです。

その時カンボジアに連れて行ってくれたのが、当時自衛隊の退役将校でコマツに居られた土井義尚様でした。土井様は日本地雷処理を支援する会の会長をされ、カンボジアからソマリアまで日本を代表して地雷処理作業をされていました。

その土井様から突然、甲府駅から約20Km北の、標高900mの寺の住職になるから浮世に縁を切ります、今までもらったハガキをお返ししますという手紙が参りました。

ビルマの竪琴ではありませんが、黄色の法衣をまとい悠然と飛行機に座しておられた土井様の姿と、献身的にかの地で働いておられる他の自衛隊OBの方々の姿を思い出しました。

地雷の探査の方策は図8-1のごとくでインパルス銃を入手し本当に実験まで行い現地で作業する準備をしたのです。

産学連携を始めたことが東京工科大の当時の高橋学長に評価され、片柳理事長から大きな開発費2千万を頂戴しました。さらには特別な実験室を提供していただき、アルマジロを開発することが出来ました。

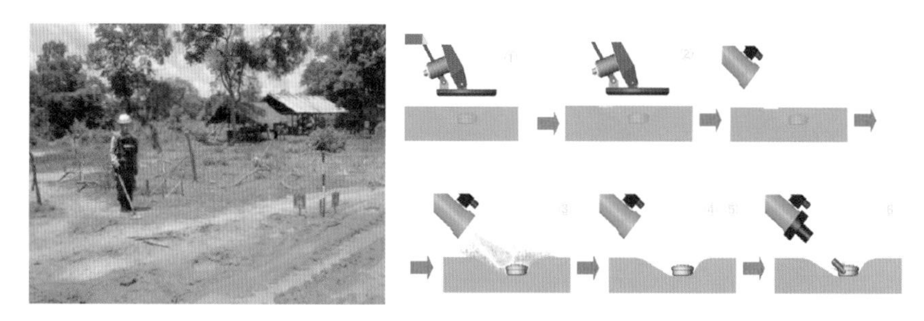

図8-1　カンボジアにおける地雷探査とインパルス銃による表面剥離

そこで学生が輝きアルマジオの溶接が始まりました。韓国出身の李君は貧しく下宿代が払えないということで、正月もこの体育館横に臨時に作った研究部屋で寝泊まりしていました。寒かったと思いますが、彼は軍務を経験していたのか、ちょっとしたもので大丈夫と言っていました。彼と韓国慶州に行ったことが思い出されます。

いつの年だったか、正月早々たまたま実験室に寄りましたら、その李君がそこで1人アルマジロの構造体の鉄板の溶接をしていたのです。この学生パワーによりアルマジロが少しずつ出来上がっていきました。重いエンジン、油圧装置HST等を載せるために3トンのクレーンを備えました。

ある日家で休んでいましたら、電話がかかってきてすぐ来てほしい、油が噴出したというのです。びっくりして駆けつけましたら歯車ポンプのケーシングのプラグが緩んで吹き飛んでいました。危なかった。今回も神様が救ってくれたと思いました。

今までも何回もプラグが緩み、油が噴出するトラブルを経験しましたが、幸い人を避けて飛んでくれ、事故はありませんでした。いくら注意しても思いもよらぬことが起こるものですが、今回もセーフでした。

このロボットはあらゆる場所でデモしました。幕張メッセで山下君がひっくり返ってクローラに足を挽かれたことがありましたが、路面が柔らかくなんともなかったということもありました。これにも驚きましたがまたも無事ということで良かったです。

HSTは素晴らしい機構でIHI農機(松本工場)からいただきました。何回も訪問し、学生さんの教育には大変役に立ち随分お世話になりました。

このような過程で、学生は天才だなと思うことが何回もありました。

1つ目の例は後から説明しますが、平行リンク式クローラ傾転機構を考えた丸本君です。

もう一つの例は、A&D社のMATLABで制御コントローラを駆使し、富士の裾野にある建設機械化研究所の広大な試験フイールドにてアルマジオの遠隔制御をしたハマド君です。彼は今アブダビ石油学院で先生をしています。

第三の例は、油圧式パラレルドリル機構でコンクリートの孔あけを制御した若者達です。先日別な目的で訪問いたしました(株)ユニカは建築、土木用のホールドリル企業でした。不思議なことですが、急に昔のことを思い出すことがあります。

建機車両というのは高速車両にもなるものです。防衛大学校でも高速旋回性能が研究されており、独自の味があります。コマツは伊豆、三菱重工は秩父、日立は北海道に独自の広大な試験場がありまして、見学するのも楽しい。

みな独得の魅力があり、入社希望者は絶えません。日立建機は私の出身企業ですので卒業生の就職を頼みに行きましたが、推薦校でないという事で最初は断られました。

しかし東京工科大の学生は、実技にすぐれソフトウェアなど得意とするところです。他の学校と共同研究してみても、劣るところはありません。

ですから「おかしいじゃないか」と抗議しました。

その結果かどうか、その後続々とわが校から入社する学生が出てきました。そして彼らが世界に散って活躍していると聞きますと、楽しくなります。

またアルマジロの縁でWATER JET専門の東京工科大片倉先生、湘南工科大の井上先生とも仲良くなり、わざわざ英国BHA CRANFIELDまで出向き600気圧のEMULSION式のWATER JET 装置を購入に行きました。

消防庁にも関係ができまして、東京消防庁から大型ロボット車両を受注し納入したことがあります。総務省の消防研究所にもよくお邪魔して、技術展にも参画しました。

教員は学生を教育すると言いますが、実は学生から教えられているのが実情ではないかと思います。私自身、学生から例えば先端的なMATLAB SIMULINKの制御を教えられました。もっと学生に自由を与えて、そのパワーを活用しないと、日本はおかしくなってしまうと思います。

なんの縁か忘れましたが、クローラ技術の延長でSCREW DRIVEに興味を持ち、CISの安藤さんに試作してもらったことがあります。それを東京工科大のSHE先生のツアーで中国まで持っていき、中南大学に謹呈してきました。

これらは建機技術の延長ですが、そのおかげで学生さんは英語論文をたくさん書きます。私も指導役で一緒にどんどん海外に出掛けました。教授最後の年には1年間に11回も出張するありさまで、目を覚ましますとイギリスのヒースロー空港にいるような感覚でした。

イギリス、スエーデン、フィンランド、デンマーク、ドイツ、チェコスロバキアと世界をかけずりまわった印象です。

現在、コロナ禍で国内にとどまり動けなくなっているのが信じられません。

フリーピストンエンジン（FREE PISTON ENGINE）

図8-2はオランダにて訪問しましたINNAS社のAACHTEN博士の開発されていたFREE PISTON ENGINEの見学です。実際に運転していただきました。

AACHTEN博士は油圧にも造詣が深く、効率の良いAXIAL PUMPの開発を行われ油圧技術の一方の旗頭でした。しかし何といってもFREE PISTON ENGINEが圧巻でその開発魂に驚嘆しました。

図8-2　フリーピストンエンジンの説明をするAACHTEN博士

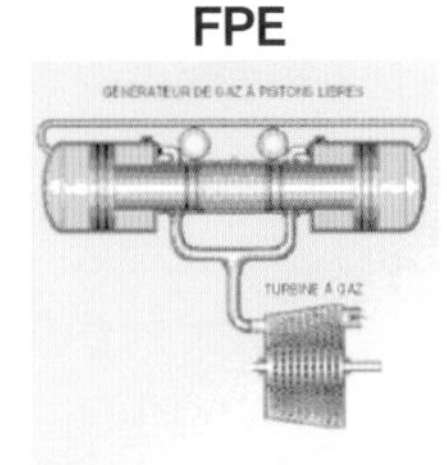

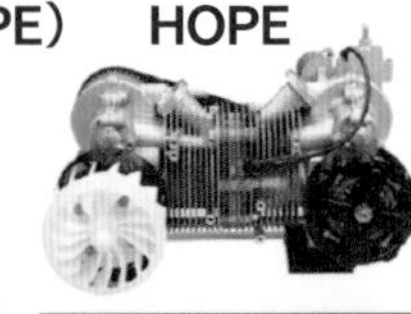

図8-3　フリーピストンエンジンと水平対向エンジン

図8-3に示しますようにフリーピストンエンジンと水平対向エンジンHOPE (HORIZONTAL OPPOSING ENGINE) とは異なるもので、前者は左右のシリンダが機械的に結合されていません。この状態で高速域まで同期して運転させるのが簡単ではありません。これに対して、HOPEは左右シリンダが機械的に結合されているので実用が簡単です。

フライホイール(FLYWHEEL (FW))

これは高速で回転し、エネルギを蓄えることが出来る装置であることは誰でも知っています。アムステルダム市電車(仏ALSTOM製)」で実際に使用されていることを知り、乗せてもらいました。下図に示すように前後2か所のFW装置で、ある区間を無電源で走行するとのことでした。このFWは瞬時300Kw程度の電力を発生しているようでその性能に驚きました。

図8-4　ALSTOM社のフライホイールカー

FWの応用については雪ヶ谷制御研究所が大変得意であったようで、実際に2例を経験しました。1つは下図8-5(左)に示すもので、雪ヶ谷の設計でサクサが製作したもので油圧駆動です。研究室でお借りし走行実験を行いましたがFWで蓄積したエネルギだけである程度走行しました。

下図8-5(右)には同じくFW駆動の電気駆動車で、千葉県の小湊鉄道から行ったゴルフ場の一角に設置されていました。鉄道のサスペンション等見事な設計です。一時テレビにも取り上げられましたが、その後どうなったのでしょうか。このような文化遺産のような仕事が、名もない小さな企業の天才技術者によってなされていることを知りました。そのような優れた技術が一代限りで消えていくのは、いかにも惜しいと思います。どうかこれからの若者に、このような素晴らしい技術遺産が伝承されていくことを願ってやみません。FWはそれ自体独自な工夫がされて多層膜で出来ており、回転損失を低減させる独自な機構になっています(図8-6)。

図8-5　フライホイールカー(油圧駆動と電気駆動)

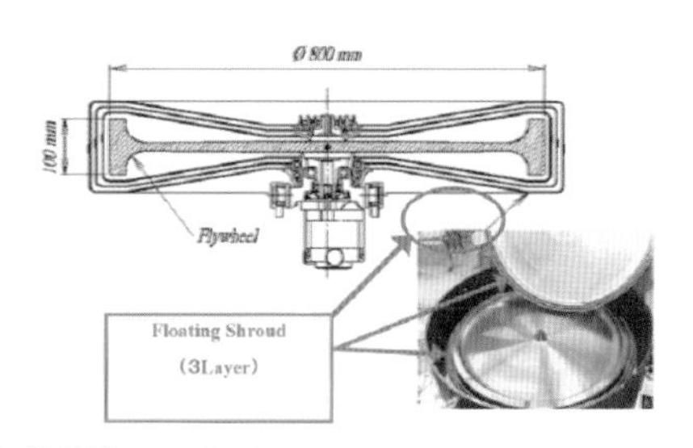

図8-6　独自設計された低損失のフライホイール

各種動力伝達機械要素

HST（静油圧伝導装置 HYDROSTATIC TRANSMISSION）

ここに示すものは建設機械、特に油圧ショベルの油圧源として使用されるAXIALタイプと言われる油圧ポンプまたは油圧モータです。左図は固定容量式、右図は右端の弁板を上下することによる可変容量式です。可変容量式AXIALタイプでは片方に操作するいわゆる片傾転が限界です。

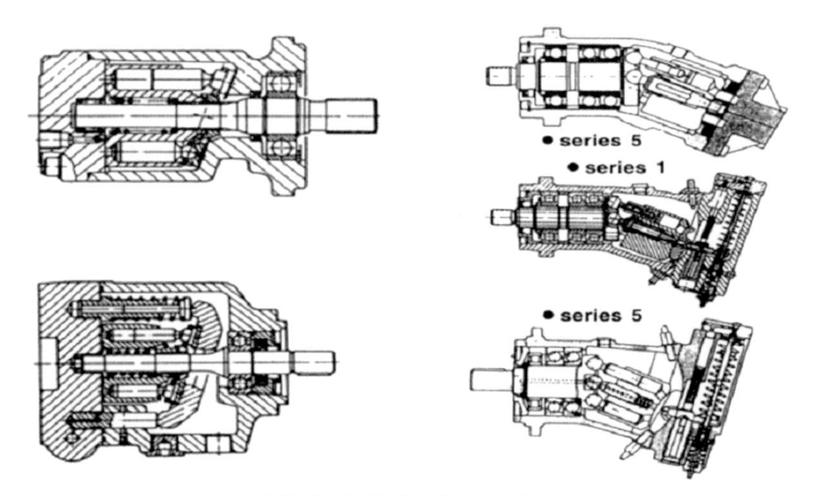

図8-7　油圧ポンプーモータ

HSTに使用される油圧伝導装置は上図のポンプ/モータとは異なり1つの装置がポンプとモータの両方の作用をすること、言い換えれば両傾転タイプが必要です。従来のAXIAL タイプでは上述のように構造的に複雑で実用されませんでした。ここに油圧の天才喜多先生が現れ、FFCと言われる可変ラジアルポンプモータを開発されました。下図に示すような、装置のアキュムレータ部分を可変式フライホイール装置に置換した車両を作り、上智大池尾教授のチームと共同研究しました。

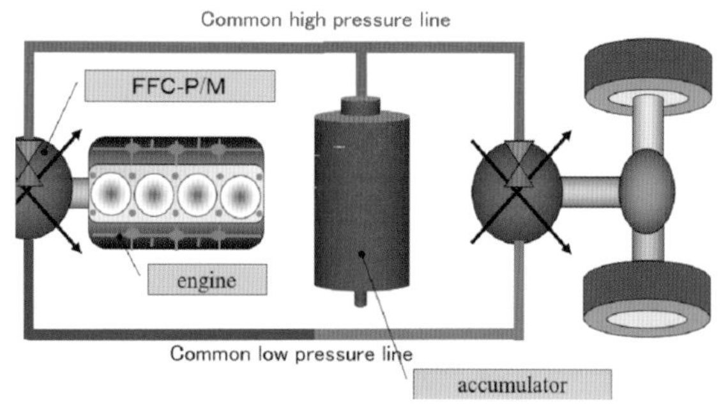

図8-8 HST駆動システム

HMT(油圧機械ハイブリッド 伝導装置HYDRO MECHANICAL TRANSMISSION)

HSTは制御性が良く小型WHEEL LOADERにも採用されているが必ずしも効率が良くないので特殊な分野しか適用できませんでした。ホンダ創業者の本田宗一郎社長がイタリアからBADALINI TRANSMISSIONと称する小型HMTを導入し、スクータに適用したが成功しなかったという例もあります。

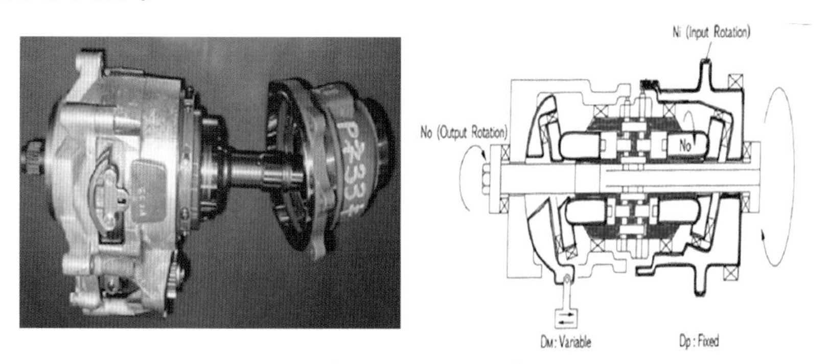

図8-9 HONDAのHMT装置

これが偶々本田技研に新しいHMTが開発されたとの記事が出たのには驚きました。

早速、研究所を数回訪問し、学生説明用ということで1台サンプルをいただきました。

それが上図です。次ページの下の図に示されています様にDp固定、Dm可変として、低速時例えばDm/Dp=2とすればトルクは3倍大きくなります。高速時においてはDm/Dp=0とすればトルクは増大せず直結状態となります。

高速時においてはDm/Dp=0とすればトルクは増大せず直結状態となります。

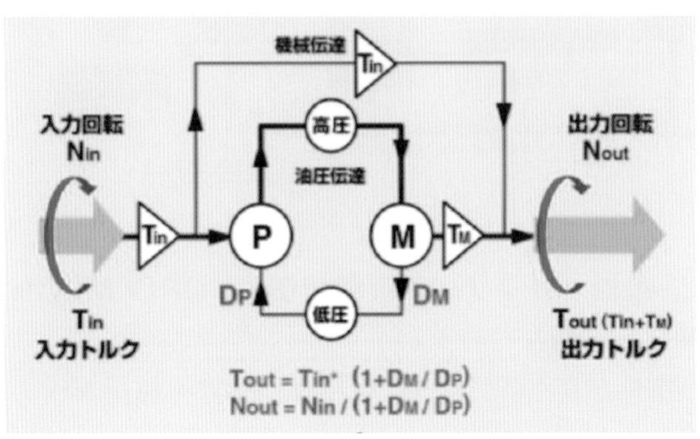

図8-10　HMTのブロック線図

これはマニュアルシフトのシフト変換を無段化したものと思いますが、クラッチがないのでエンジンをふかすことはできない様に思います。

HMTは米国を横断する大型トラックとか欧米のトラクタの一部で実用化されたと聞いています。このHONDのHMTは米国で盛んに好まれるSATV車両に実用されたと聞いており、創業者である本田宗一郎社長の夢が実現した形です。

図8-11　HMTを装備したSATV

この20年にわたるホンダの技術陣の壮大なトライに感激しない人などどこにいるでしょうか。この私しも大いに感激し油圧式HMTを企画し大久保歯車KKにお願いして卒論テーマに取り上げました。下図がその製作例ですが遊星歯車のことを勉強したレベルで止まってしまいました(図8-12)。

図8-12　試作した油圧式HMT

大久保歯車では純機械式のGLEASON社の(1913年バージョン？)SPIRAL BEVEL GEARの機械を見せていただきました。そこには図8-13の様な駆動モータ1台で複雑なBEVEL歯車を創生している姿がありました。

図8-13　GLEASON社のベベルギヤーマシン(BEBEL GEAR MACHINE)

スパイラルドライブ(SPIRAL DRIVE)

そのメカニズムは極めて複雑で考え抜かれたものです。電動モータの技術は進展しているでしょうが、機械の方は一体進展しているのか、なんでもメカトロ、AIと騒ぎ思考能力を停止しているのではなかろうか、と思った次第です。砂漠においてはタイヤ駆動では沈むので走行は困難ですし、クローラも万能ではなさそうですので、新しく図8-14に示すようなスパイラル車両を安藤顧問に作ってもらい実験しました。

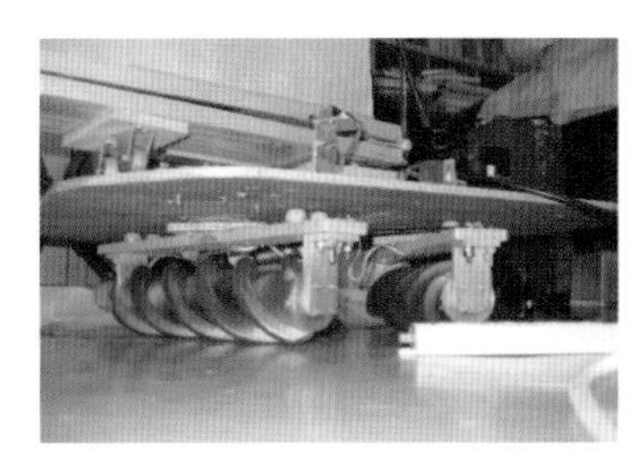

図8-14　小型スパイラルドライブ

室内走行用の小型のものから始まり、

最後は大型のものを作り砂場で実験しました。大型のものは円筒にらせんを溶接して作りました。砂場における走行方向の制御性が若干難しい、という結論でした。

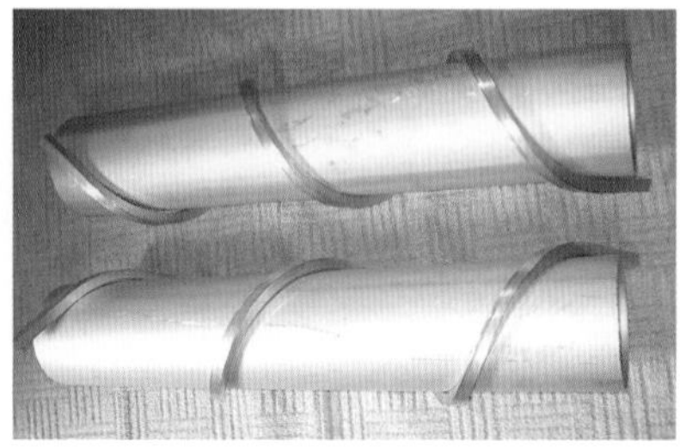

図8-15　大型スパイラルドライブ

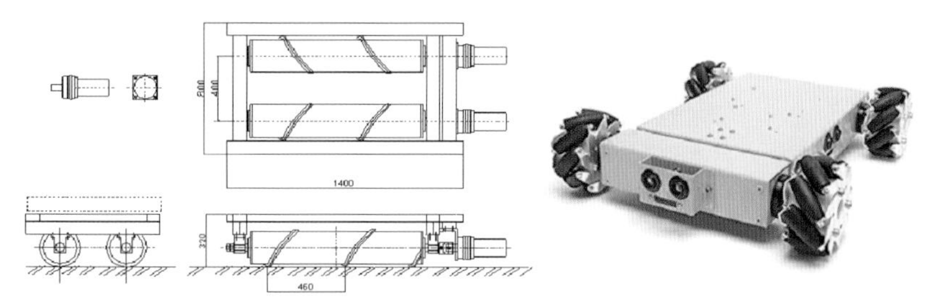

図8-16　スパイラルドライブの図面

図8-17　メカナムドライブ

一方ホイールの歯のゴム部を斜めにするメカナム駆動も実用化されています。

CPS　フライホイール車両開発 (CPS FLYWHEEL CAR DEVELOPMENT)

CPSとはCONSTANT PRESSURE SYSTEMの略で、駆動系の圧力を一定に保つ、車両の駆動に適したシステムです。上智大池尾研と共同で、下図の車両を使用し実験したものです。これ等の研究開発は喜多康雄先生の指導によります。先生は何回も工科大にお見えになられ、直接学生の指導をされました。

図8-18　実験車両

先生はまさに油圧の神様でしたが、忽然として世を去られ最後の見送りもできなかったのは痛恨のきわみです。ここで使用したFFC(FLUID FORCE COUPLE)と称するPUMP/MOTORは先生の傑作であり遺作ですが、世に出すことは未だ出来ていないのは残念です。

以下に示します内容で解説します。

1. フライホイール付きCPS油圧系の構成
2. エンジン間欠駆動の実現
3. 実走行テスト
4. 効率測定

図8-19　フライホイール装置

mass	55.03[kg]
Diameter of flywheel	500[mm]
Allowable maximum revolution	4000[rpm] (3000[rpm])
Moment of inertia	2.02[kg· m]

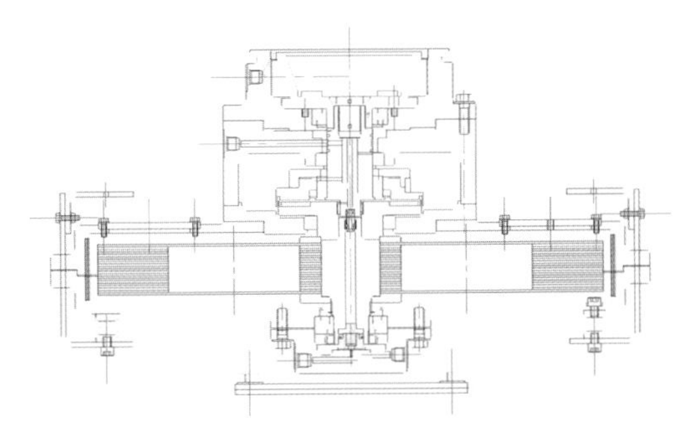

図8-20　フライホイール設計諸元

まずフライホイールですが、喜多先生の設計に基づき製作しました。直径500mm、重さ55Kg、慣性モーメント2Kgm,許容最高回転数4000rpmです。

上図に示します様に、FFCと一体化したフライホイール装置は極めてコンパクトに設計されています。

ここで肝心なFFCPUMP/MOTORの断面を図8-21に示します。7本のラジアルピストンを配置した構造をしており、偏心量を左右いずれにも操作できます。すなわち、容易にポンプあるいはモータに切り替わるという特色があります。従来のアキシャルピストンとは全く異なる独特な構造をしていることに驚かざるを得ません。

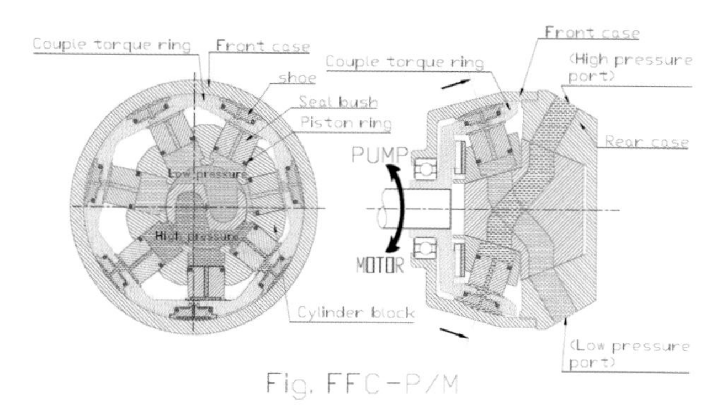

図8-21　FFC PUMP/MOTOR

喜多先生は油圧の神様と言われておりました。今にして思えばもっと技術討論をして先生の本音を聞けば良かったと後悔しています。現在、私も大学で教えていますが、手を挙げて質問する学生は稀です。講義後質問に来る学生は若干いますが、この体質を直さないと日本は世界と肩を並べられません。

災害ロボット　アルマジロ（MR.ARMADILLO）の開発

開発の由来は本章の初めに詳しく述べましたので省略いたしますがこのロボットはほとんど全部が学生の力でできたことに特長があります。人工災害や自然災害の復旧，復興，救助作業には，主に大型建設機械が用いられることが多いですが、地震による災害現場では，家屋の倒壊や地形変動により不規則な路面が多々存在するため，大型建設機械では対応が困難であり，例えば，階段のような障害物を乗り越える走破性が必要となります．応用例として地雷除去や農作業，建設現場分野への応用を考えたものです。この条件を満たすために必要な項目は

1. 不整地での走破性
2. 優れた操舵性
3. 高耐久性構造

作業中の安定性

下図がそれぞれ順に概念(コンセプト)図、地雷探査スタイル、象の鼻のアクチュエータを装備した状況です。何とも素晴らしい恰好ですね。

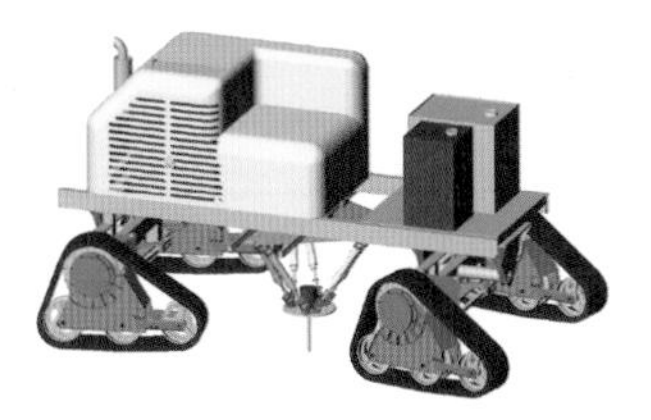

(A)コンセプト図

(B)地雷探査向け

(C)象の鼻アクチュエータ付

図8-22 アルマジロの色々な姿

基本仕様と特性

ここではアルマジロの基本仕様や特性について説明します．タイヤの代わりにゴムクローラを使用しています。クローラを用いることで、車両の不整地走破性や車体安定性がタイヤと比べて向上します。アスファルトやコンクリートの上を走る時に地面を傷つけないためにもゴム製のクローラは有効です。

車両サイズは2tトラックの荷台に収まるように設計しました。車重は1300kg,全長は2.8m,車幅は1.5mでコンパクトです。フィールドロボットの特長は、従来の建設機械と比較すると、

1. 三角形状ゴムクローラによる４軸独立駆動 (4WD)
2. 前・後輪の独立操舵角は90度まで可能 (4WS)
3. クローラ先端持ち上げ方式による段差突破機構 (4WT)

に特長があります。Table1に仕様を示しています。

HSTとステアリング機構

動力源としてはIHI農機KKからいただきました農業トラクタの1.6Lディーゼルエンジンを使用しフレームの後方に設置しました。

HST(Hydro Static Transmission)無段油圧変速機とステアリング用の可変アキシャルピストンポンプは、エンジンのクランクシャフトとベルトで連結されています。

HSTは建設機械，農業車両に多く用いられており，無段変速性に優れると共に制御機能があるため本車両に適用しました．油圧駆動システムを下図に示します。HSTには、前輪用と後輪用の２台の可変容量アキシャルピストンポンプ(16.4 cc/rev)がタンデム結合されています．各ポンプは左右２台のクローラ駆動用の油圧モータ（10.92 cc/rev，減速比 1:31）に接続されています。

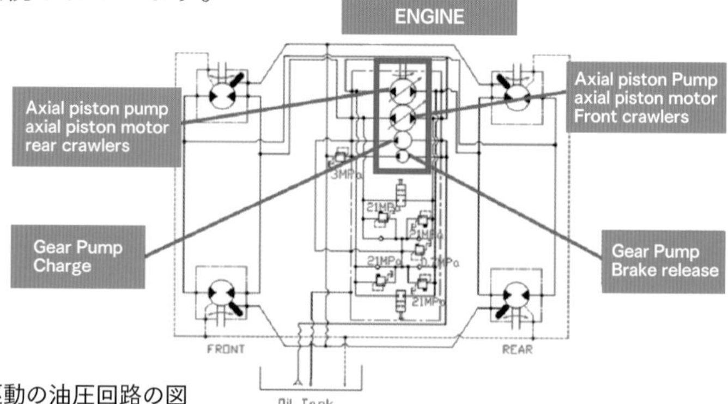

図8-23　車両駆動の油圧回路の図

ステアリングは最も工夫したところですが、メカの得意な学生丸本君が設計してくれました。下の図で示しますように前後輪操舵する(4WS)が出来ます。後輪は同方向及び逆方向に操舵することが可能となりました。

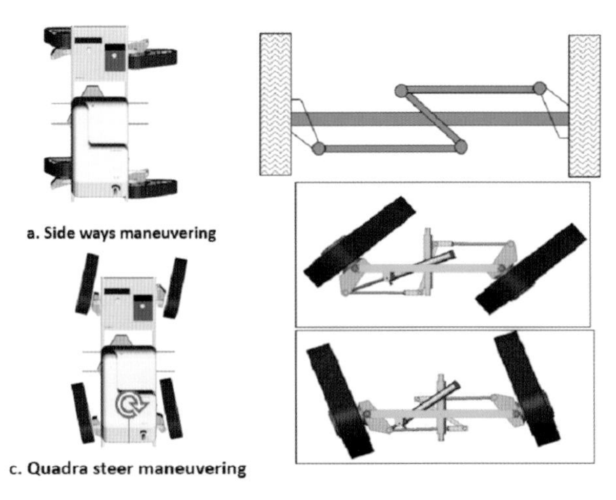

図8-24　ステアリング機構

この機構を適用することにより、真横移動が可能となり狭所での車両の方向転換が可能になります。作業性は向上し、作業エリアの縮小および移動時間の短縮なども図ることができます。ステアリングパターンとして、以下の5つの方法が挙げられます。

ステアリングパターン：
1. 前輪操舵
2. 後輪操舵
3. 前後輪の同位相操舵（斜め移動）
4. 前後輪の逆位相操舵　最小回転半径
5. 前後輪共に右 90°操舵
   a. 横移動（前後輪を同方向に駆動）
   b. 旋回（前後輪を逆方向に駆動）

段差突破のためのチルト機構4WT

クローラの段差突破（チルテング）機構の設計のポイントは、旋回運動との干渉がなく、チルテング機構を独立に操作できることです。クローラ上部を通り旋回軸（キングピン）と油圧モータ回転軸を結合する支持部材に、チルテングシリンダを配置する方法を考えました。シリンダを伸ばすとクローラは一つの点を中心として回転することになります。車両の垂直荷重Wgの平均値320Kgに対し、直径40mm の油圧シリンダを使用すると、6MPaの圧力で車両の後部クローラを上下させることが可能となります。

段差突破機構を使用して，階段を乗り越えている状態を図8-25に示します。図に示すように，クローラは下側が階段のヘリに当たり，先端は浮き上がった状態であり，クローラ先端部を押し付け，接地圧を与えることにより，クローラは上昇することができました．実際の操作はマニュアル式ですので大変でクローラのチルト制御と前進制御の同期が必要です。数人の学生が必死になって操作している姿は今も瞳に焼き付いています。もしアルマジロが階段から外れたら大惨事になりかねません。

図8-25　アルマジロの階段昇降

アルマジオの応用例

東京工科大片倉教授と湘南工科大井上教授(当時大林組技術研究所主任研究員)と共同で、除染作業に対してのウオータジェットカッテングシステムの検討をしました。その結果を日本および米国のウオータジェット学会で発表しました。英国から導入した、600気圧のEMULSION JET装置をアルマジロに搭載。移動装置に仕立て、柔軟な運動性能が必要ながれき状地面でも動ける走行特性を持たせました。また、ウオータジェットガンは別の装置に仕上げました。4WD、4WS、4WTの性能を併せ持つ、ウオータジェット装置を装備したアルマジロができたのです。下図が装置単体と、実際に大林組でウオータジェット装置を載せて走行中の状況です。

図8-26　アルマジロのウオータジェット装着との連動

実際に作業をするときはアルマジロ本体とウオータジェット装置を下図のように組み合わせ作業をするのです。

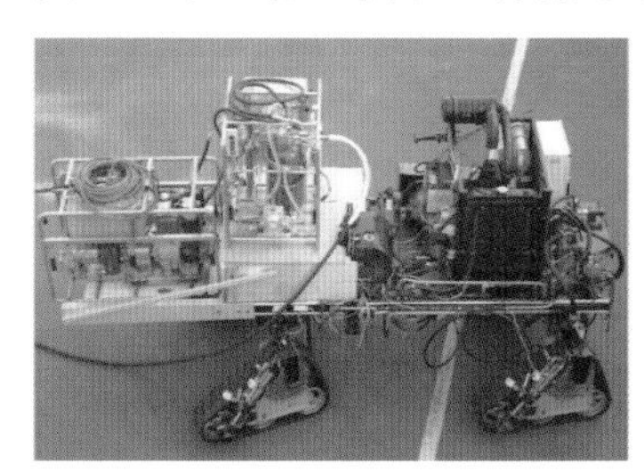

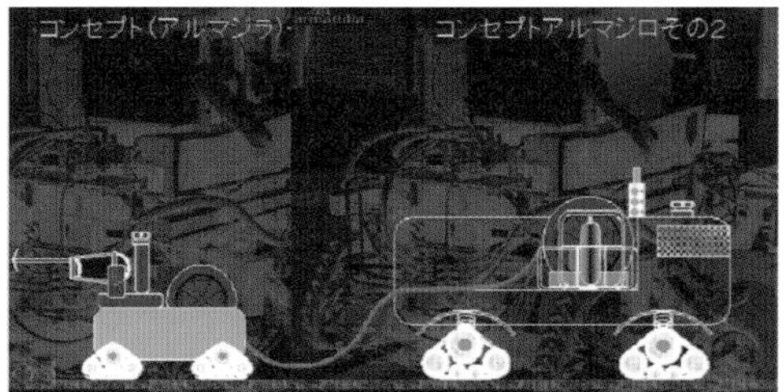

このウオータジェットで右図に示すような、コンクリート壁に孔(あな)を開削する実験をしました。600気圧のEMULSION JETで見事に硬いコンクリートに孔があいたのです。

図8-27　ウオータジェットの作業

地雷除去DEMININGへの応用

カンボジアまで出かけて現地の地雷除去の状況を見に行き、ソ連製の飛行機で奥地まで乗せて行ってもらいました。この方面が得意の山下君という学生がいて、地雷除去の方法を教えてもらいました。図8-28の左に示します様に、まず金属探知機で場所を探して、見つけたらエアガンで表土を吹き飛ばします。実験しましたが発見はそんなに難しくないとの印象でした。アルマジロの先端に、金属探知機とエアガンを装備してデモしました。実際のところ、カンボヂアは建機スタイルの大型装置で、地雷を除去をしていました。ですから出番はありませんでしたが、貴重な体験でした。

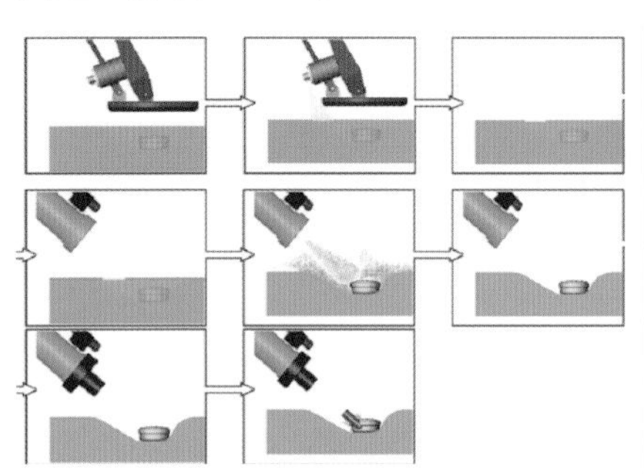

図8-28　地雷除去用のアルマジロ

その他の応用

アルマジオのすぐれた登坂特性に魅了された私は、富士山の大雪崩の植栽ができないかと思い、富士山の土木事務所まで出かけ話を聞きに行きました。スパイラルマニュプレータで植栽しようという構想まで考えたのですが、結局断念することになりました。もう少し時間があったら実現させたのに、と悔しい思いです。図8-29

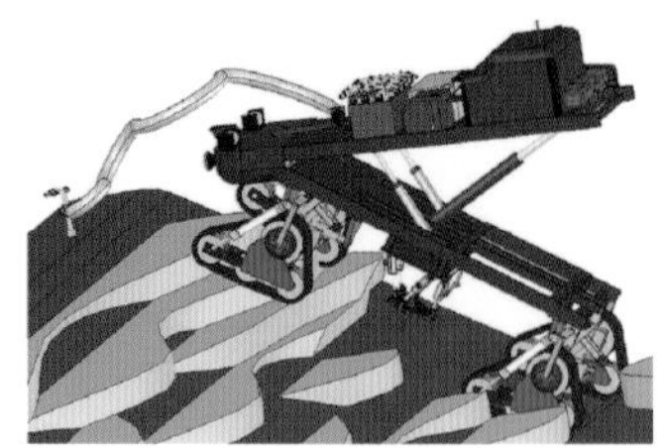

図8-29　富士山植栽ロボット構想

図8-30
アルマジロのコンクリートカッタ

実際にアルマジロの中央部にコンクリートカッタをパラレルリンクで支持し掘削実験まで行いました。多様な応用展開ができるロボット車両が開発されていたおかげで、このような応用が可能となったのです。

レスキューロボット

東京消防庁からレスキューロボットの引き合いがありましたが、人を助けるための良いアイデアがなく困り果てていた時、素晴らしいメカに出会いました。諏訪の大橋社長に紹介され、驚きのメカを神戸大工学部大須賀先生のところで見せていただいたのです。このようなアーチキュレーテッド2重クローラ車両のメカが存在するとは想像だにしませんでした。下図がその写真です

図8-31 アーチキュレーテッド2重クローラ(当時神戸大大須賀研究室)

その時に学んだ2重クローラのNEGATIVE FRICTION(負性摩擦)の説明図が図8-32です。

すなわち、走行クローラと運搬クローラが逆方向に動くことにより倒れている人体をコンベヤに吸い込むのです。素晴らしいメカニズムです。

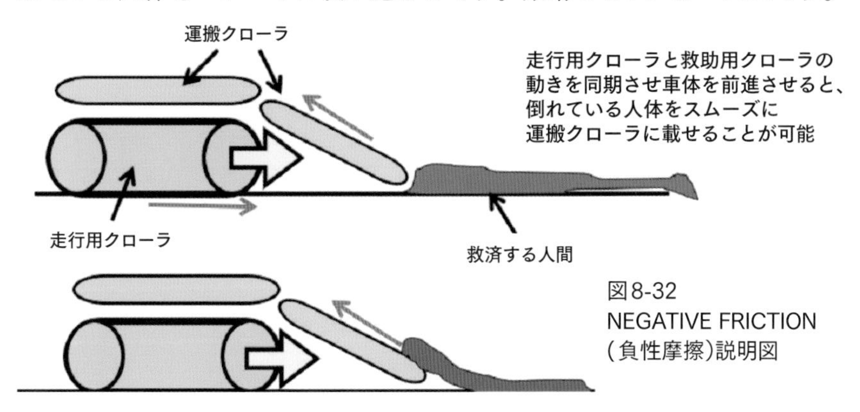

図8-32
NEGATIVE FRICTION
(負性摩擦)説明図

この2重クローラアイデアをサクサ(株)の絶大な協力を得て実現したのが下図の東京消防庁殿納入のROBOQです。都内でモデルを使ってデモを行い好評だったと聞いています。このロボットには前方側面に6軸のアクチュエータが2セットは配置されており、障害物を取り除くことが出来ます。

図8-33　東京消防庁納入のROBOQ

4腕式作業ロボットOCTOPUSの開発

早稲田大学FUTURE ROBOTICSと共同で4腕式作業ロボットを開発しました。油圧ショベルはもともと6自由度ロボットですが、腕は1個です。日立建機には双腕ロボット"アスタコ"というのがありますが、それをエンハンスしたとも考えられます。建機時代に開発したロードセンシグショベルとともに下記に示します。

油圧ショベル1腕

双腕ロボット"アスタコ"

図8-34　油圧ショベルの例

OCTOPUSは下記のごとき油圧式と電動式の2種類を開発しました。

インフラ点検災害ロボットの開発
これまでに開発した災害ロボットOCTOPUS

急斜地、不整地での稼働が可能 4本アーム＋4輪の
クローラ連携複合作業が可能(遠隔捜査)複数台
建機作業を一台で可能化
複雑な作業を一人捜査で可能化

①遠隔走行技術②環境認識・自立走行技術
③複雑な作業の制御技術④複雑な作業の一人操作技術
⑤グルーピング技術

図8-35　開発したオクトパス(OCTOPUS)

オクトパス(Octopus)：特長

このロボットは下図に示します様に、細かい作業ができる小型分野を狙っています。

移動：ロコモーション独立に制御できる4脚クローラを使って移動。複腕マニピュレータを利用した移動補助し移動を妨げる小型障害物を排除します。腕を引っ掛けて大きな段差を乗り越えます。

撤去作業におきましては、2本のメインアームを操縦します。知能化マンマシンインタフェース技術により操作支援を補助します。4本のアクチュエータがありますので対象物を固定することもできます。将来的にはエンドエフェクタのオートチェンジもできるでしょう。

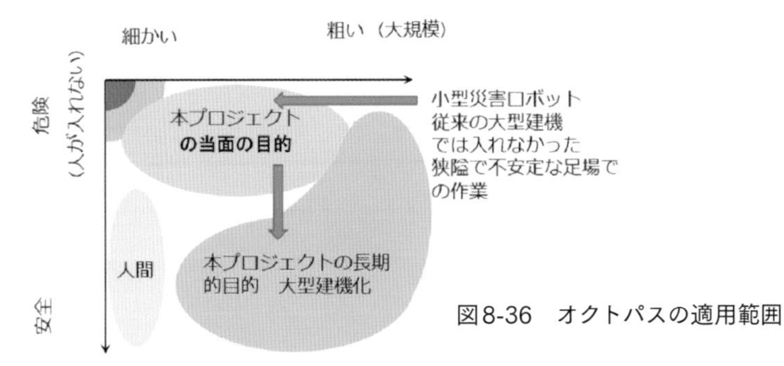

図8-36　オクトパスの適用範囲

●知能化ヒューマンマシンインタフェースと結合し、４腕作業体制で不安定足場でのデリケートな作業を可能にできます。

●もし強力な破壊力を有するファイバレーザを使用できるならば、大きな瓦礫を細かく処理することが出来ます。近年ファイバレーザは数Kwから10Kwクラスまで現れ安全性が確保されれば土木分野にも適用できます。

従来の作業機と比較しますと、双腕式で有人操作、メカニカルアタッチメントですが、これは４腕式で無線操作、メカニカル＋ファイバレーザアタッチメントという事になります。

ファイバレーザで作業する場合を想定した場合が図8-37です。2本のアームで対処物を保持します。第3のアームでカメラを保持し、第4のアームでファイバレーザを保持し制御することが出来ます。

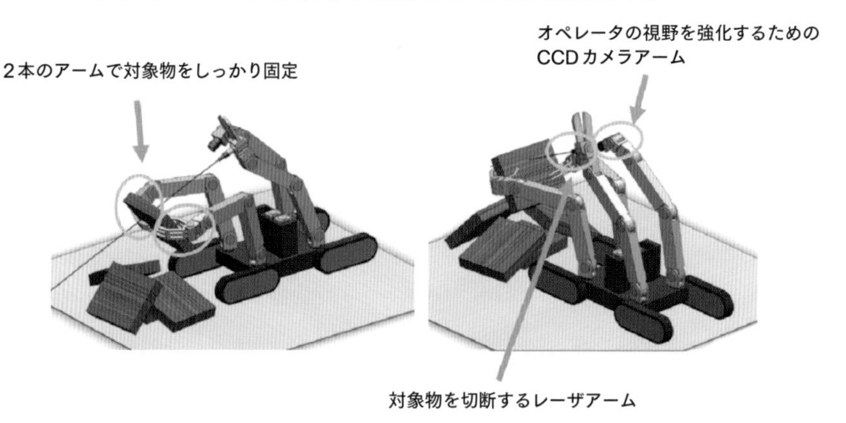

図8-37　オクトパスの作業

近時工場内作業におきましても、例えば川田工業の双腕ロボットが活躍しています。この例からわかるように、腕は多ければ良いのですが操作をするにはハイレベルの知能が必要です。今回のプロジェクトは技術的に現在の建設機械のレベルを超えていますので実用化はこれからです。

またこのロボットは段差突破性能に優れています。前腕で上部構造体を上げて後腕で後部構造体を押すことにより段差乗り越えをします。

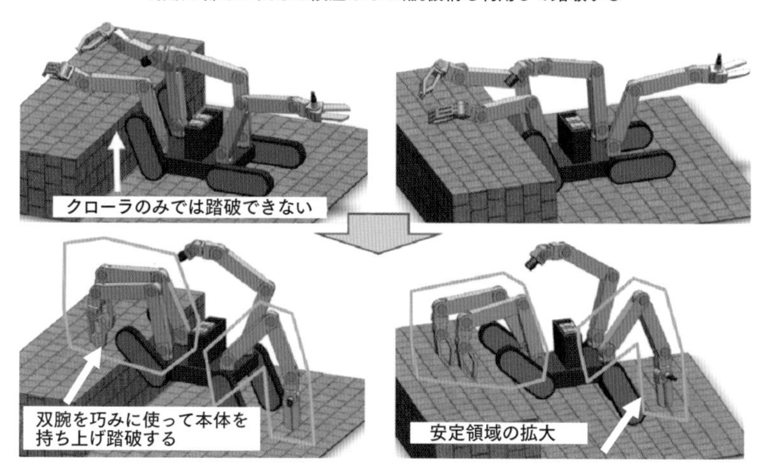

図8-38 オクトパスの段差乗り越え

このOCTOPUS ROBOTは、埼玉の建機試作会社アイメックで製作していただきましたが、構造が複雑でもう少し簡素化した方式がないかとの意見がありました。そこで、下図のごとき旋回式3アクチュエータ方式も検討しましたが、これは試作まで行っていません。

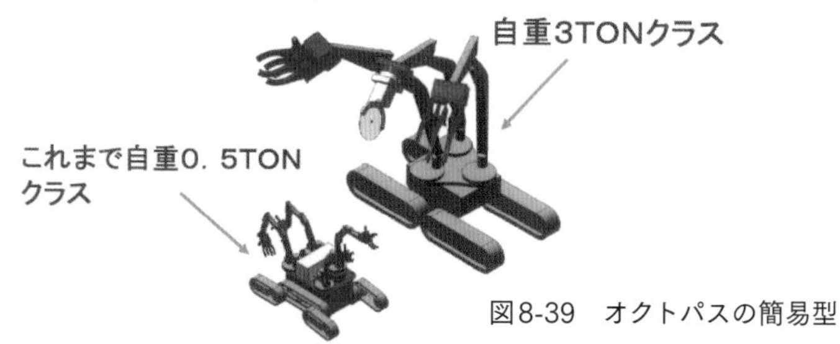

図8-39 オクトパスの簡易型

ファイバレーザ(1KW)による岩石の切断の原理実験を行いました。確かに岩石は溶融しますが、全部ガス化できず溶融カス(ドロス)が発生します。したがって、切断するにはドロスを飛ばして溶融を進める必要があります。溶融隙間に強力な空気流れを形成する工夫も必要です。実用化するには、もっとパワーアップしなければなりません。大変面白い技術ですが、レーザ光は止めないとどこまでも進行しますので、安全に止めるストッパも不可欠です。

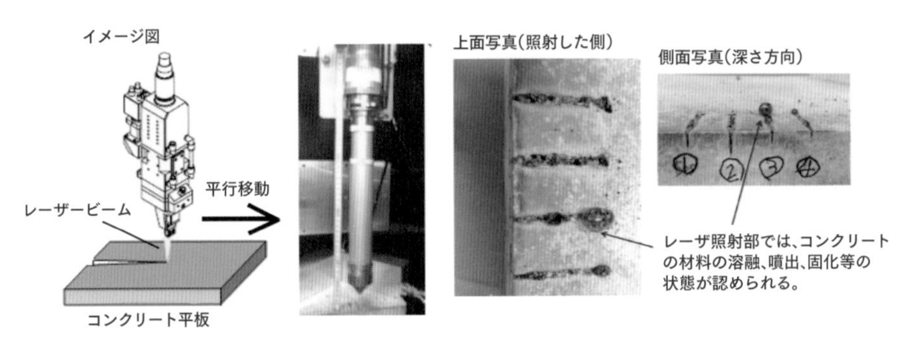

図8-40　1KWファイバレーザによるコンクリート切断実験結果

現在、トンネル掘削等にファイバレーザの応用が使われています。大事なことは、安全装置の問題とドロス対策ですが、レーザは確かに面白い技術です。

このロボット開発で機体メーカを紹介いただき、かつ油圧システムを担当していただいた工苑野見山社長は、今はもうおられません。油圧サーボに夢を持ち、指導できる専門家も減っています。シニアの方々は技術を後輩に伝えていただき、若者もまた、この素晴らしい油圧技術に関心を持ち勉強していただきたいと思います。

らせん的未来の建物

最近、(株)LINEARITY社マルコンシャンドル氏が挑む革新的リニアエレベータがあるということで、京都大学宇治キャンパスを訪問しました。

この私自身、日立入社してエレベータの振動を解決せよとのテーマを与えられ、びっくりしたことがあります。1959年に日立研究所に入社したのですが、小堀博士の主宰する振動研究室に入った時のテーマがエレベータの振動だったのです。当時の社内のエレベータが、ロープ共振により特定階で振動していたので、防止のためのTHIMBLE ROD DAMPERなどを開発しました。その縁で、当時のエレベータ設計部長の原さんから、平面往復動エスカレーターが出来ないかと言われました。「ライバルの三菱電機がらせんエスカレーターを開発したのだが、それに対抗できるようなものはないか」というわけです。その1案が平面往復動エスカレーターで、これはトレッドが平面に回動してそのまま下りるという構造を言います。従来型は垂直に回動するので構造的には簡単ですが、トレッドが無駄使いだというのです。

確かに平面往復動エスカレーターは面白いと思い、回動する機構に工夫を凝らしました。だが斜面部で片持ち構造が必須なため、どうしても安定しませんでした。機械的構造だと、人が乗るとトレッドが傾きガタガタしてしまうのです。このような背景があったので、曲面走行が可能というマルコンシャンドル氏のエレベータにお邪魔したわけです。氏はHUNGARY出身でエレベータ会社にもおられたという事でしたが、前人未踏ともいうべき曲線エレベータに挑戦される姿を拝見し、驚愕の念を禁じえませんでした。

このエレベータを据え付ける建物は、下図のごとき形で丸だったり双曲線型だったりするのです。やはり建築家のセンスからの発想です。

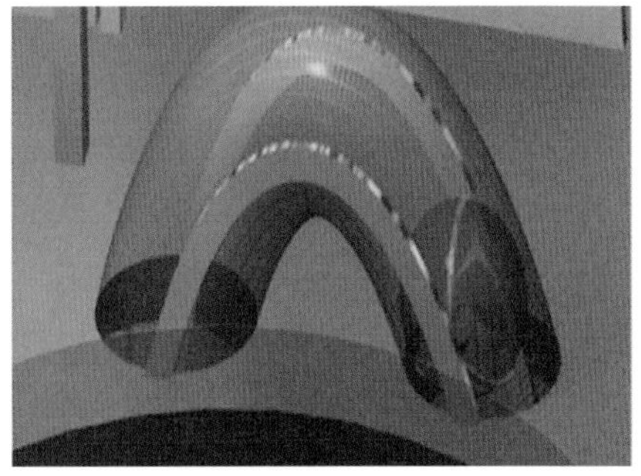

図8-41　らせん建物

マルコン氏曰く、「このモデル装置試作したが、さらに資金獲得をめざし大型装置を作りたい。私はFUJITEC出身だからエレベータには詳しい。これまでトルコのDESIRD(VB)が支援した」とのことです。DESIGN,MOBILITY,SPACEの革新を目指したい、とも。

このリニアモーターは、革新的で建物のみでなく平面的なリニア駆動にも応用できます。リニア駆動により、1昇降路に多数のかごを配置し自在に動かせます。そのためには高度なAI技術が必要であり、マルコン氏は例えばSENSETIME JAPANのごとき有名どころの会社とも付き合っているようです。

実際に安全に走行させるには、高度なガイド装置とかブレーキ装置が必要になります。前述したように、日立時代に失敗した平面往復動エスカレーターならエレベータより簡単ですから、マルコン氏のリニア駆動であれば実現できるかもしれません。

マルコン氏は今後、京大の風洞実験所の横に10m程度の昇降路を作り、本格的な実験を行いたいとのことです。曲線走行の場合実際にどうするのか、ガイドは曲げるのは大変であろうとかいろいろ想像しました。エレベータとして製作するには国の認定を受ける必要もありますので、これからが大変だと思います。かかる前人未踏の技術開発にいどむマルコン氏のパワーは底知れません。三菱、日立のごとき常識的な既成メーカの技術者ではかなわないでしょう。

下図が現在できているモデルです。

WINDING for LINEAR DRIVE

図8-42　マルコン氏の実験装置

(1)名称:RINGDOM（英)、リングダム(日)
設計:高松伸／一級建築設計事務所　株式会社高松伸建築設計事務所／代表
作画:片桐 岳／株式会社竹中工務店／東京本店設計部
著作権使用権所有者:一級建築設計事務所　株式会社高松伸建築設計事務所／代表

(2)名称:SKY∩ARC（英)、スカイ∩アーク(日)
設計:片桐 岳／㈱未来加速研究所／ CEO
作画:片桐 岳／㈱未来加速研究所／ CEO
著作権使用権所有者:片桐 岳／㈱未来加速研究所／ CEO

第9章

新しい空飛ぶロボット
ドローンに挑む

ドローンの世界

ドローンの分野では、中国DJIが圧倒的シェアを保持してきました。しかし、安全保障の問題も絡んで国産化の波が強くなり、我が国も独自のドローン技術を保有する気運が高まっています。私どもがドローンに関係したのは十有余年前、千葉大副学長だった野波先生とのつながりからです。先生の元には数十人の学生や研究者が集まっており、大変賑やかでした。弊社は「先生の研究は事業になる」と予想し、ACSL(自律制御研究所)なるSTART UPを始動。多くの企業が興味を持ってくださり、ある程度の資金が集まりました。社員も長期的に派遣し、新技術の習得に努めたのです。

しかし、先生は事業欲が強く、多くの人材を確保しようとしていました。そのためすぐに資金がショートしてしまい、大手に援助を要請していました。その過程で先生の会社は成長しましたが、学者と経営者の二足のワラジで苦労されたと思います。幸いにして、ACSLの企業評価が高くなり上場できたことで、先生の努力は報われたのではないかと思います。なお弊社は数年前、再び有力なドローンメーカであるEAMS ROBOTICSなるSTART UPを傘下に収め、事業展開を図っています。

電動ドローンを長距離搬送に使うとすると、バッテリ寿命が短いため、長く飛ばせないという現実にぶつかります。エンジンドローンの飛行時間はこれに比して長いのですが、制御が難しいこともありあまり普及していません。そのため両者の良い所を取ったエンジンで発電機を回転させ、その電気でモータ駆動のプロペラを回すハイブリッドドローンの開発の動きも活発です。現在求められているのは世界に通用する量産性のあるドローンであり、優れた機体とインテリジェント人工知能型の高度なオートパイロットが決め手になります。ドローンは下記のような多くの分野に期待されていますが、ここでは若干の例について説明しましょう。

A) I-CONSTRUCTION 測地、空撮　B) インフラ点検　C) 空の宅配便、輸送　D) 監視点検　森林、農業、治安　E) 災害監視　火火、地震、洪水、津波

空からの放射線測定

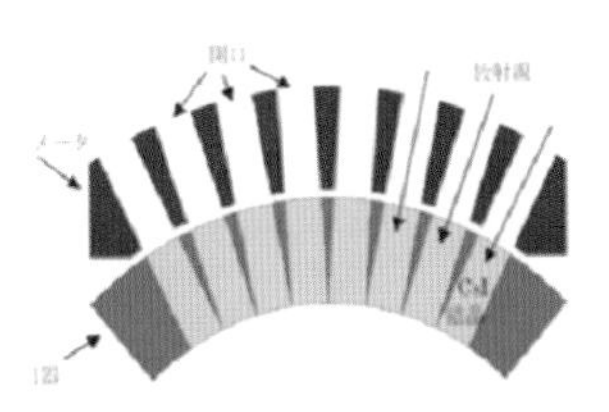

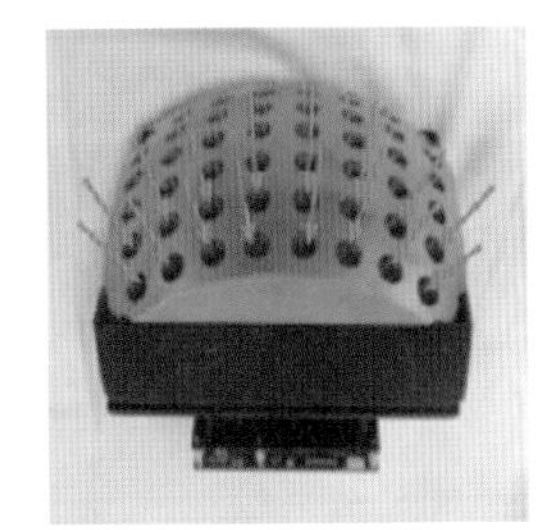

図9-1
谷口式のガンマカメラ

この測定には当時顧問をお願いしていた十田さんに大変お世話になり始めて実際にドローンを組みたて飛ばしました。ドローンは出来合いのGRYPHON DYNAMICS製 二重反転式プロペラを使用しました。ガンマカメラは谷口先生の会社で製作してもらいましたが、重量は10Kg程度です。ちなみに手持ちの日立製カメラは30Kgでした。測定には数分かかります。図9-1が谷口式のガンマカメラです。

10Kg搭載しますと、さすがにリポバッテリの消耗が驚くほど速く、飛行時間は約5分しか取れませんでした。リポバッテリ交換が忙しかったため、これでは実用にならないということで、有線給電ドローンを開発することになりました。実際に使用したドローンと、測定中のドローンの状況を以下に示しておきます。

図9-2　使用したドローンと飛行状況

東日本大震災で原発事故被害にあった飯館村における、家屋の周辺の測定結果を下記に示します。下図左側に示す屋敷の測定結果によれば、裏の藪部分が除染されておらず強い線源が残っていることが判ります。右側の屋敷においても同様で、裏の藪部分に強い線源があることが認められます。このようにガンマカメラを使用すると、どの部分が汚染されているか場所の特定ができるので、除染作業の指針が得られます。

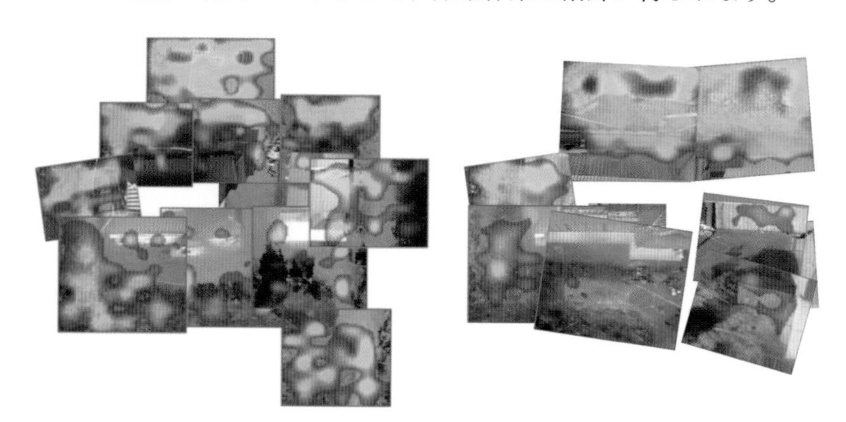

図9-3　ガンマカメラによる放射線強度測定の例

エンジンドローンとの比較

モータドローンはバッテリ駆動で低騒音かつ制御性良好です。しかし飛行時間がバッテリによって制限されます。空撮用等の小型機では滞空時間が20-30分程度ですが、ペイロードの大きい機種、例えば空の宅急便では滞空時間5-10分程度になってしまいます。

エンジンドローンはエンジン駆動で制御性に難があり、工夫が必要です。やや騒音は大きくなりますが、燃料が軽いので飛行時間は長くなります。ペイロードの大きい機種、例えば空の宅急便では、滞空時間はモータドローンの数倍長くなり、30分から2時間程度は実現可能です。

このエンジンドローンを最初に見たのは諏訪のINDUSTRY NETWORKの大橋さんのクラブでした。下図のように単独プロペラエンジン式、エンジン駆動でマルチプロペラ駆動のタイプがありました。

図9-4　諏訪のエンジンドローン

エンジンはそれ自体振動が多いので、下図のごとく互いに対抗させバランスをとり、振動を小さくする必要があります。また、微妙な速度制御が難しいので直接プロペラ駆動することが出来ません。

図9-5　対抗式エンジン

その代わりに各プロペラのピッチ角制御をすることになります。下図がその機構ですが、まるでヘリコプタのロータ制御のようです。

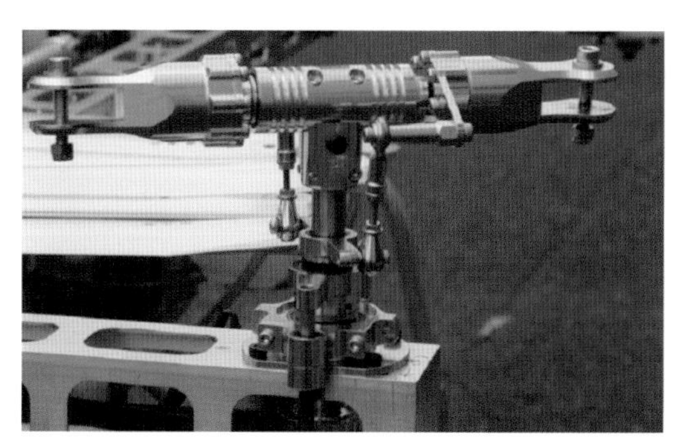

図9-6　プロペラのピッチ制御

我々も下図に示します様なQUAD式のエンジンドローンを試作し、フライトテストをしました。中央に軽量対抗エンジンを配置し、プーリ駆動で4個のプロペラ軸を駆動しています。その4個のプロペラは各々ピッチ角制御をするスタイルです。下左図はその外観で、右図はフライトの状況です。実際に飛行制御をしてみますと、制御性は必ずしも良いとは言えず空高く飛ばすことはできませんでした。電動の様な軽快な感じはしませんでした。

図9-7　QUAD式エンジン駆動

これ等の経験から、エンジン駆動の場合はやはりエンジンハイブリッド(ENGINE HYBRID)、エンジンに発電機を直結して電源とし、この電気でモータ駆動プロペラを制御する形が良いと判断しました。重いバッテリ電源の代わりに、軽量化したエンジンを使うというものです。燃料のガソリンはバッテリと比較にならないほど軽く、長距離飛行の目的にぴったりです。

たまたま石川エナジ社と知り合った折、同社の水平対向無振動エンジンというものを知りました。このエンジンを装備したペイロード50KGのドローンを開発されていました。図9-8がその概念図です。

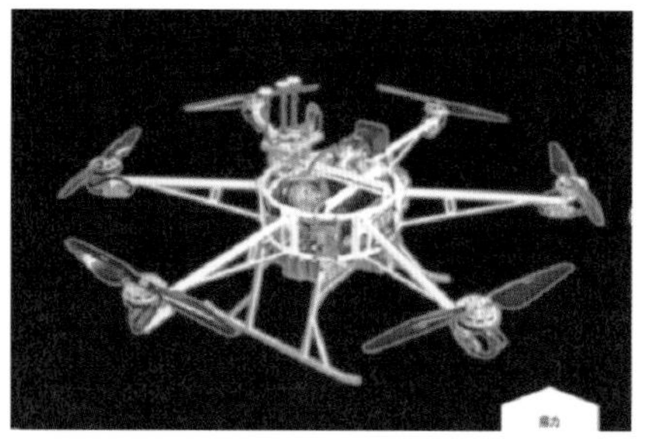

図9-8　石川エナジーの水平対向ドローン

実際に飛行試験に供されたドローンを下記に示します。

図9-9　石川エナジーのハイブリッドドローン

GAS TURBINE HYBRID（GT）

先日の福島の展示会で、ADJ(AERO DEVELOPMENT JAPAN)の田邊社長にお会いしてGTの話をお聞きしました。

図9-10　GT駆動

HIEN社によりますと、現在容易に入手できるGTはJETCATという会社の製品で、30Kw程度の製品なら100万程度で購入可能といいます。GTのタービンの回転数はほぼ8万回。

発電機とは直結せず空気タービンで結合し、回転数を1/10に落とし8000rpm程度にして、いわば流体歯車減速機を介して発電機と結合しているということです。

したがって効率という面では若干悪くなると予想されますが、制御は易しくなると思います。

これに対してADJは、GTと発電機は直結ということを強調しています。すなわち発電機は8万rpmで回転するということCORELESSからHALBACHのような構造をしていると思われます。

効率は良いと思いますが制御の方はどうでしょうか。

図9-11　JET CAT社のGAS TURBINE 30KW

有線給電ドローンの飛翔試験

例えば地上の放射線強度を連続的に測定しようとするとエンジンハイブリッドでも十分とは言えず電力を連続的に供給する有線給電ドローンが必要になります。

技術ポイントは

(1) 大型モータ/大型機体設計

(2) ドローン～地上電源までの送電-受電システム

地上側電源（高圧送電400V以上）

電線長さ
100～150m
地上電源
発電機を含む

図9-12　有線給電ドローン

ドローン側（高圧～低電圧変換400V ～ 40V変換）

これが本研究開発の最大ポイントです。さらに

(3) 給電線巻取機構が必要です。下左図に示すのがこのドローン本体で、中心に電圧を下げる機構が付いており、400Vを40V近くに下げる回路です。下右図に示すのがドローン搭載のガンマカメラで、地上の放射線強度を測定する状況を示しています。

図9-13　有線給電ドローン

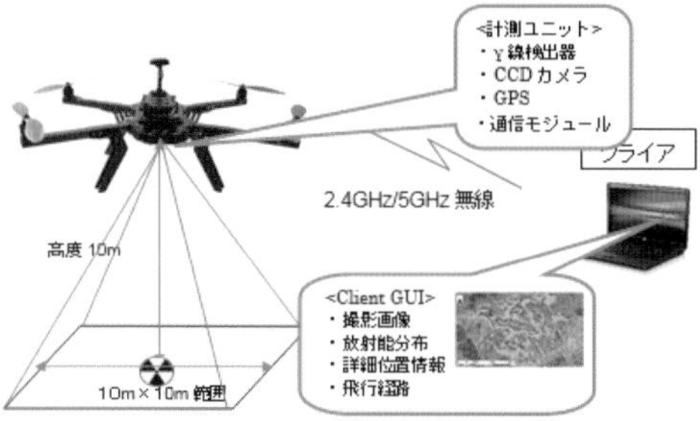

図9-14　有線給電でのガンマカメラ測定

図9-15がドローンの飛行状態を示すもので、有線ケーブルが見えます。システムは400V送電するので、電流は小さくそのぶんだけケーブルは細くてすむことになりますが、長さは100m程度が良い所です。図9-16が有線給電の電源車を示すもので、中に発電機、400V電源、巻線機を収納しています。

図9-15　有線給電飛行状況

図9-16　有線給電車

この大型ドローンは積載量が重いので実際に飛行させるのは大変です。下図に示すように多くの技術者が調整作業を行い飛行させました。

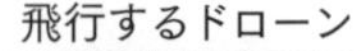

図9-17　有線給電飛行状況

VTOL（VERTICAL TAKE OFF and LANDING）

長距離飛行、例えば離島間貨物輸送する時に、エンジンドローンでも飛行困難な長距離だったとしましょう。この場合、定常飛行において飛行機の翼効果を利用し、自重は翼揚力により支持するVTOLが有効です。離陸時と着陸時は、通常のドローンと同じく複数の縦型プロペラ推力により自重を支持します。このTRANSIENT状態を制御するのが課題です。

最初は火山性災害における遭難者救助システムに適用することを検討。飛行可能高度は5,000mまでとし、飛行機モードでは150kmまで飛行可能を目標としました。耐風速20m/秒（飛行機モード）飛行機モード時は、高度があればグライダーのように動力をOFFにして滑空することで、2時間飛行も理論的には可能としました。

図9-18　VTOLのコンセプト

実際に木組みの上にCFRPを張りVTOLを試作しました。下左図が骨組みで、右図がCFRPの型です

図9-19 VTOLの翼の木組み

この機体を使い飛行実験を行いました。その状況を下図に示します。プロペラ出力が十分でなかったので高い高度の飛行はできませんでしたがVTOLの特性は把握することが出来ました。

図9-20 VTOLの飛行状況

VTOLの基本形はいずれにしても下記のごとく4個のドローン駆動部を持つ形になります。

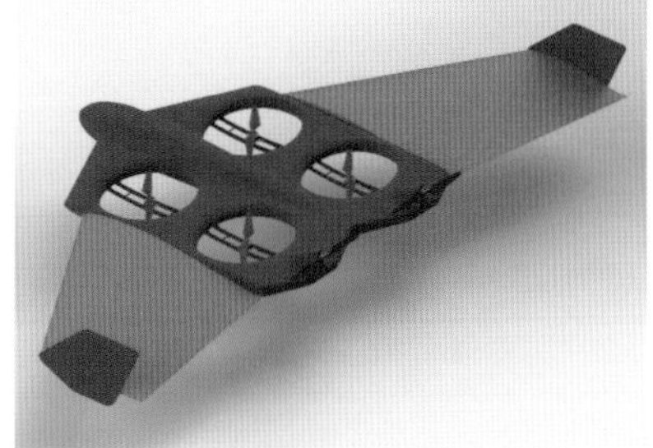

図9-21 VTOLの基を形

その後も止まらないドローンの新しい試み

多くのドローンSTART UPが南相馬ROBOT TEST FIELDに集まり実験に参加しています。日本人の「モノ好き」が現れている面もありましょうが、やはりドローンビジネスに可能性があるからだと思います。私自身もドローンに刺激され、新しい未知の技術を学んでいます。以下のその例を示したいと思います。

Tetra Aviation (北戸田) 訪問　2020,8,11

空飛ぶ車が喧伝されて久しくなりますが、実際にUSA BOEING COMPETIONにてホバリングし賞をもらったとのことで有名になったSTART UPです。

電動では無理と思っていましたがエンジンハイブリッドでなるほどと感激しました。エンジンは(独)LINBACH 50HP (37KW at 7500rpm)ENGINE dry weight16Kg、2サイクル×4気筒 (548cc)(LINBACH FLUGMOTOREN)を使用しています。

実際にこのエンジンはグライダー等に大量に使われています。200Kg程度の荷重なら楽に上げる能力ある軽量エンジンです。駆動モータはSLOVAKIA製10Kwクラス、4台使用しています。中国製ドローンモータTMOTORを大きくしたようなモータです。IHIの得意とするファンモーターに近い形状で3000 rpm程度の回転です。4個のファンは力学的に検討したと思われる角度で配置されていますが本当に安定して飛行できるかまだ先は長いでしょう。SKYDRIVE(トヨタ系)社ではTMOTORを使用して実験をしていましたが動力源の議論はこれからです。

図9-22　LINBACH ENGINE

図9-23　TETRA AVIATION社の空飛ぶ車

LATVIA UAV PENGUIN

福島ROBOT TEST FIELDで見学した機種で、2020秋日本に導入されたとのこと。

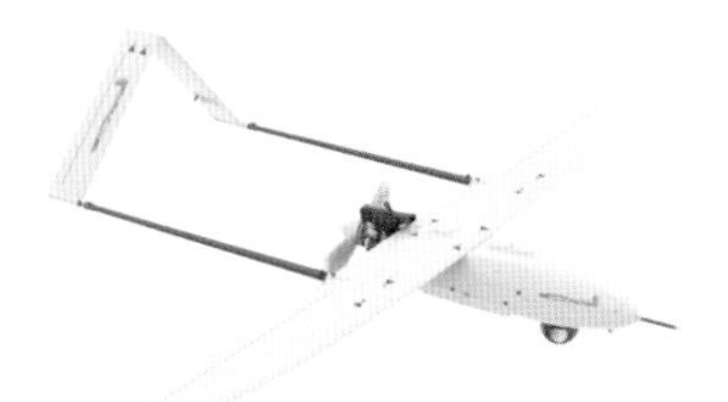

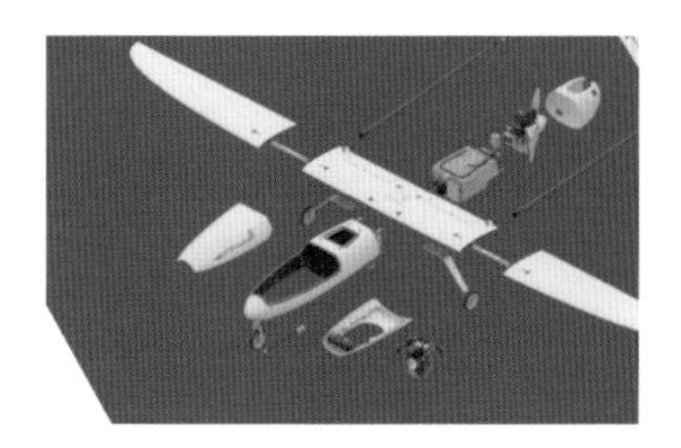

図9-24　LATVIA UAV

無人飛行機で重さ23Kg、DESERT ENGINE 28ccと軽量です。カタパルトで発進、70-80km/hで20時間飛行してから高度100mからパラシュートで降下します。ミリタリー目的の高速飛行なので我が国では特殊用途にしか使えません。

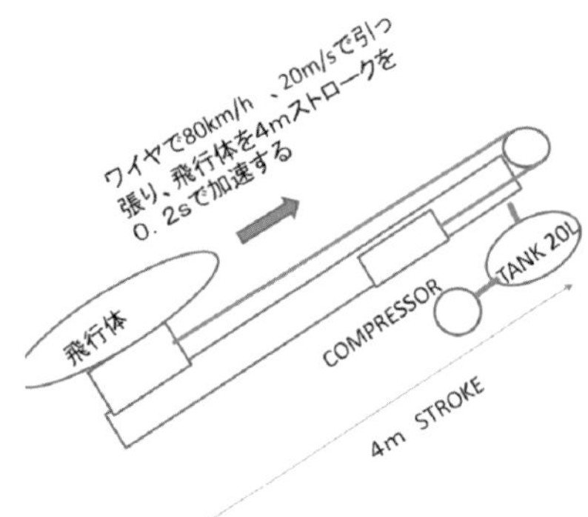

図9-25　PENGUINのカタパルト

発進は4mストロークカタパルトで、空気圧で駆動します。降下はパラシュート2段式で小が出て、その風圧で大が開くようになっています。着地した瞬間に本体から分離する構造となっています。機体はエアバッグで保護されますが、100m上空になりますと、コンプレッサーで膨らませ着地したら直ちにエアを抜くようになっています。本当に巧妙な仕掛けです。実際に着地した状況を見ましたが、機体の損傷はありませんでした。しかし、このような無人機がウクライナの戦争に使われていると思うと複雑な気持ちになります。

図9-26　PENGUINの飛行と着地

X WING

NDUSTRY NETWORK(諏訪)大橋社長が、航空専門家と共同で推進している空飛ぶ車X-WINGという2重翼方式を開発しています。これからの機体です。

図9-27　X WING

1人乗りのドローンの各種駆動方式の検討
LiMn,Mg燃料電池、およびハイブリッド方式の比較

CFPプロペラのサイズ26×8.5あるいは28×9.2使用すると仮定。効率G/W=10と仮定(W; ドローンモータwatts　G; プロペラ推力Kg)。もし10Kwモータを4個使用するとW=4×10KW、推力はMAX G=400Kg発生と予想されます。

LiMnバッテリ駆動

東北大LiMnセル、3.8V,10Ahの単セルの場合、重さは0.25Kgとなります。400V電源を採用すると、120セルを積層する必要があります。電流はMAX100Aとして、5セルパラ(60分飛行目標)と仮定しますと全部で600セル必要となります。これでセルの電池容量を20Kwh、セル総重量は150Kgとなります。

実際にはケースも必要なので、バッテリはさらに重くなりますが無視します。自重支持用DOUBLE HALBACH MOTOR (INVERTER付) 10Kw×4台、もしも本体4Kgで制御装置を含めて20Kgならば、飛行モータを含めて25Kgの中に収められます。

CFあるいはマグネ材使用でどの程度になるか、具体的に設計しないと判りませんが、50Kg以下にできると仮定しますとバッテリと機体の重量は225Kg、乗員70Kgを加えると総重量は300Kgとなり、航続時間は40分程度になります。

マグネシウム燃料電池

セル単体重量は14Kgとなり、ケースを入れても30Kgには収まると予想され、矢部先生のCELLの式1.5Kwh/Kgから推定しますと総重量は200Kgになり1時間飛行が可能になります。

ハイブリッド方式

通常のハイブリッドドローンは、出来合いの2サイクルエンジンを使用しているので大出力はないと思っていましたが、独製LINBACHがあ

ることが判りました。LINBACHの場合、37Kwエンジンを使用し発電機を含めて35Kgで仕上がるとすると、総重量は楽に200Kgになりますので1時間飛行が可能になります。

第10章

何かにかける開発者の物語

もしも、このひとたちに出会えなかったら

ここ数年、私自身が会社の実務を通じ実際にお会いし、感銘を受けた方々への気持ちを伝えたいと思います。私どもが、このような素晴らしい仲間に恵まれているということをあらためて知りました。共にビジネスする喜びも、もっと感じたいと思います。

SERENDIPITY 予想外の発見、突然発想する、偶察力という言葉がありますが、GOOD YEARのゴムの加硫、フレミングのペニシリンのごとき大発見でなくとも、まさに私ども開発者の毎日は、このような事象の連続ではないかと思います。

また、EPIPHANY 悟り、急に思いつくという言葉もあります。

HUNCH 勘とい言葉も良く使います。私ども開発者、技術者の毎日は、INSTINCT,INTUITION、IDEA,EXPERIENCE 思いつき、経験によってつき動かされているのです。

開発は山あり谷ありで、一本道で行くものではありません。開発者自身の身分も変わります。

私自身、4回の窓際族を経験しました。ただ、窓際とはいっても、私の場合はプラスの経験となったのです。日立時代に閑職へ異動した時は、現場的な油圧ショベルの設計部のメンバとすぐに仲良くなりました。

設計部がバックにくれば怖いものなどなく、我を忘れて仕事をすることができました。定年が近づき職制を離れた際も、私を助けてくれる仲間(現場材料検査技術でたたき上げた田中さんと技術センタで各種実験を担当している飛田君の2人)と新計画を始め、毎日のように飛び歩きました。その結果として油空圧学会に4論文を出すことができたのです。

その4論文が機縁となり、私は東京工科大教授となりました。教授時代の10年間は、まさに暴れん坊大将で世界中を駆け巡りました。その後、現在の菊池製作所に入社。入社当時も今も「もっと大型ロボットをやろう」と意気軒高です。

菊池製作所に入社して18年ですが、新しいプロジェクトがどんどん

来ますのでゆっくりできません。この年になりましても日立建機時代の田中—飛田さんの様な、私を支え励ましてくれる方々がいるのです。私は幸せ者だとつくづく思います。

CIS安藤社長　迅速なものづくり

氏との付き合いは、すでに大学時代の3次元パラレル式ベンダの曲率測定器の試作からはじまり、WATER JET CUTTING車両,SIRAL車両、横型ホットチャンバーといった様々なテーマで一緒に仕事をしています。例えば山形大多田隈先生と行ったOMNI GEAR、2輪車の脚だし装置や、東北大田邊先生のプラスチック分離装置等などが挙げられます。大変お世話になった安藤社長に対し、ここで改めて感謝の意を表したいと思います。

氏は自宅が試作工房ですので、あまり大きいものはできません。しかし部品調達が迅速巧妙で、大抵のものは早く仕上がります。その製作速度は群を抜いています。顧客の要求に迅速に対応してくださることは、本当にありがたいことです。

氏は東工大機械、プリンス自動車の試作部門出身とお聞きしていますが、資金難ゆえ多くのものを手作りされたと聞いています。安藤様は近年奥様をなくされ一時意気消沈されましたが、また往年の馬力を取り戻し、相棒の伊藤さんといろいろなモノづくりに励んでおられます。安藤社長、いつまでもお願いします。

井口菊池製作所顧問　カンセイウェアによるモノづくり

井口顧問は千葉大出身のデザイナで、フランスベッド等を経てコニカミノルタにて多くのカメラをデザインされました。定年後弊社に入られ、独自の感性でモノづくりに貢献されています。

〈以下は井口顧問が自分の言葉で書かれたものの要旨です〉

カンセイ(感性)ウェアとは従来のハードウェアやソフトウェアによる物理的な機能、性能に加え、使用する人間の意欲や成長を促すよう個人固有の感覚を活かし脳のしくみ(感性)に働きかける新たな第3の手法です。その効果は使う人により一様ではなく、個の多様性に即したもので、人間の感覚や意向という新たな尺度を表すものです。

人生100歳時代ですから、機器の開発にも上記の考え方は不可欠です。使用者目線で開発することも必要です。また、できるだけ人間の自力を活かすようにすることが望ましい。以上の要件を満たそうと志した実例3例を具体的に紹介します。その思想を「楽」(気楽に楽しめる)と表現し、ネーミングの冠としました。

実例1. 楽書

これは振戦という手が揺れて読める書字ができない方をサポートする自助具です。完全にきれいな文字にならなくても、読める書字ができます。脳梗塞による右手麻痺の際、左手で書字する事をサポートできます。通常使わない手では先ず筆圧が無く動きもぎこちないが、図のように手の平の土台部材により机面で滑らずにベースとなり手の動きを安定させ、その土台と一体的に装着し固定された筆の筆圧と動きを確保できます。実際この装具で手に手を取って指導すると5～6回の書字で装具を外しても何とか読める字が書けると皆さん驚きと共に喜ばれました。

図10-1　楽書

なお、開発はNEDO(新エネルギ機構)の補助金で進められ、30回を超える展示会の実体験で5000人程に喜んでいただき商品化となりました。ヨーロッパの展示会ではサイン社会の為か、大変に喜ばれたと聞きました。

この商品は購入して直ぐに使える物ではなく、自ら手を取って習熟しなければなりません。

書字できた時の喜びは、指導する私にも伝わってきました。書くことは生活の基本的活動なので、指が自由に動かない方が字や絵をゆっくり楽しんで頂けるよう、さらに進化させたいと思います。

実例2. 楽ウォーク

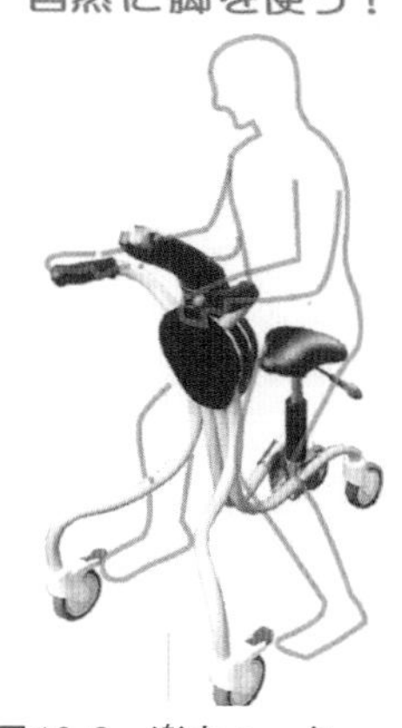

図10-2　楽ウォーク

この楽ウォークの発想は、私自身体重があり、長時間歩くと疲労がたまることがスタートとなりました。電動車椅子では目線が低いので、立った姿勢のまま楽に移動できる図のような楽ウォークを発想し、試作が実現。いわば脚を使った目線が高い立位車椅子となりました。車椅子のような歩行障害のサポートではなく、脚に負担を掛けないことを目指したのですが、試作を試乗していただくと、歩行障害のある方にも喜んでいただけました。車椅子は脚を使わないため、脚による血液の循環が悪くなり健康にも影響を与えてしまうと思われます。この楽ウォークでは、かなり重い麻痺の方が犬の散歩を楽しんで、脚が次第に動くようになっていった例があります。他にも「スーパーではレジを通過できた」「美術館では疲れずじっくり鑑賞できた」等々、多くの方に喜ばれました。高齢者にとって長時間歩けることは心身ともに重要です。今後、楽ウォークの開発を進めてアクティブに健康寿命を伸ばす必須アイテムにする必要を身をもって感じています。

実例3. 楽ウェア

図10-3　楽ウェア

この楽ウェアは従来のマッスルスーツ をより気楽に使えるように、軽量化と簡便性を持たせたものです。気楽に使える名実共に楽ウェアと名付けました。開発にあたってモデルとなったのは、高齢者である私自身と家内です。介護現場や庭作業、雪かきと、試作を繰り返しました。展示会では「これがあったらギックリ腰にならなかった」「母が介護が必要になったら使います」等々の言葉をいただき励みになったものです。制服の大手(株)金星との出会いがあり、衣服としてのクオリティも上がって商品化につながりました。楽ウェアを装着すると背の固定部材で猫背が矯正され、上半身の体幹が定まり歩行も軽くなるという効果もあり、健康寿命を伸ばす新たな衣類となる可能性を感じています。

以上の実例は、あえてモータとか電源を使わずハイテクやローテクと従来のものづくりと一線を画したいわばノー(無限)テク？ で従来のメーカ志向から脱皮し現場、人間志向のメーカ良し、ユーザー良し、社会良し、の「三方良し」のものづくりです。

和泉ヘルステクノロジー社長　医療介護ロボットへの挑戦

〈以下は和泉社長のお話の要旨です〉

私と一柳先生との出会いは2015年8月菊池製作所福島工場（飯舘村）でした。中国在住の日本人学生ら15名から「東日本大震災の実情を知りたい」とのオファーを受けた私は、高校同窓会のご縁から菊池製作所を紹介してもらい、工場見学をさせて頂いたのです。

当時、福島第一原発の事故により、飯舘村の住民は全村避難していました。村内の7つの事業所だけが稼働を許可され、福島工場では150人の方が、福島市を中心とした避難先から1時間かけて通勤する日々でした。

山の中を迷いながら到着した福島工場で、「福島をロボットで復興させる」というビジョンを語ってくれたのが、一柳先生でした。素晴らしい設備の工場を見学し、開発中のドローンやマッスルスーツを体験。本気でロボット社会の構築を目指している人々がいるということを知り、ただただ圧倒されてしまいました。

同年12月に一柳先生、総合南東北病院の瀬戸先生から、医工民連携の開発プラットフォームの整備計画があると聞きました。折しも介護施設を運営していた私は、2025年問題（団塊の世代が後期高齢者となり労働者不足に陥る）対応のICT機器を活用した介護施設の増設を考えていたので、その計画に参画させてもらいました。

翌年5月には先生のお力添えで株式会社ヘルステクノロジーを設立し、医療介護福祉のロボット開発を始めました。福島原発の事故により、今後の高齢化社会を先取りする形になってしまったと言われている地域に行くと、病気にならない、介護が必要な状態にならないということが、何より重要だと気づかされました。

菊池製作所グループには、イノフィス、WALKMATELAB、TCCMedia Lab、SOCIAL ROBOTICS、フューチャーロボティックスというベンチャ企業があります。開発実績の無い私は、これらの企業のお手伝いをする形で医療現場、介護現場の声を拾っていきました。また、先生が医療介護リハビリロボットの開発者(民間、大学問わず)の方々を紹介してくださったおかげで、開発現場の実態も知りました。こうした経験の中で、ロボットは組み合わせや活用が重要な「統合知」だとわかってきたのです。

2020年、COVID-19が猛威を振るう中、私の経験を介護施設でどう活すか、現場の方々と協議しました。その結果、ロボットやICT機器を導入するだけでなく、「求人」「定着」「業務改善」「評価制度」「生産性向上」「研修」「補助金助成金活用」などと組み合わせ、一括で相談できるサービスが必要だと気づき、そのためのツールを開発するとともに、問題解決のネットワークを構築してきました。

また、南相馬市で佐藤知正東大名誉教授が立ち上げた「ふくしまロボットシティ推進協議会」でのワーキンググループ活動では、医療関係の連携が不十分で、住民サービスが手薄だということに気づきました。私はこのサービス提供者を介護事業所にすることで、多くの問題が解決するのではと仮定し、認知症フレイルサポート予防事業として新規事業の提案を始めています。

わずか数年でここまでたどり着けたのは、一柳先生と瀬戸先生のおかげです。年齢のことをいうのは失礼ですが、80歳を超えてもなお新しい知見を探し、現状打破に奔走するお二人に出会えて、超最先端の生き方を学ばせてもらっています。私たちが先生方の年代になった時に働き続ける環境を作っていくこともまた挑戦しなければいけない喫緊の課題だと思います。

引き続きご指導お願いいたします。

白木コアレスモータ社長　モータにかける男

白木社長の多段変速モータ。

白木社長は著名かつ著書も沢山ある方です。今更ここで紹介するのは失礼かと思いましたが、若者にもその闘志を知っていただきたいと思い、あえて記す次第です。

氏は小型モータに強い意欲を持たれ、CORELESS MOTOR社を創業。独自の構造の各種タイプを開発され発明王となりました。訪問するたびに開発品の説明をしてくださりますが、その創意工夫に溢れる仕事ぶりにはいつも感心しておりました。

EATと称し、モータ自体に多段変速特性(機械的ミッションの代わり)を持たせることに成功した時も驚きました。変速特性とは、例えば坂道を登る場合、ギヤチェンジして回転数を下げることでトルクを上げますが、これは機械的変速機(MECHANICAL TRANSMISSION)しかできないと思っていました。それがモータ自体で行えるならば、もはや機械的歯車装置不要ということになります。

早速実験装置(テストスタンド)を見学しましたが、間違いなく変速しトルクが増減するのです。

これに触発され、私どもも電動バイクのWHEEL in MOTORとして実装することになりました。その試作品を数度バイクに取り付け走行実験しましたが、電気的な部分は問題なく、機械的部分を改良すれば実用化できるのでは、というのが私の感想です。

実験装置とデータを見る限りEATの性能は優れています。EATは多極コアレスモータの巻線回路を工夫し極を変えている、と推測しますが、良く分かりません。今回はWHEEL IN MOTORへの応用ですので、歯車減速機構と一体化する必要があります。機械的部材の強度を保持するのが不可欠で、実用化は簡単ではないでしょう。

とにかく白木社長の開発魂は凄いです。開発者、発明者というのは、説明は得意でなくモノに語らせる人種です。ぜひとも電動バイクの走りでモータの実用性を示してみたいと思います。最後に笑うものは最も良く笑うと言います。いつかこの開発が日の目を見て、白木社長と一緒に大笑いしたいものです。

図10-4　白木社長が変速モータにつき熱弁CORELESS MOTOR社(中央林間)

面白いモータの世界(ニコラ・テスラの伝記を読んで)

回転磁界(ROTATING MAGNETIC FIELD)は、エジソンとテスラが直流送電か交流送電かで争った時代を思い出させます。発明王エジソンも、交流磁界という現象を理解できずに反対したという説もあるごとく、電磁現象を理解するのは難しい。

何はともあれ白木モータが成功するのを祈っています。テスラは今から150年前に高周波空中送電、マイクロ波送電を実験したのだから驚きです。京大の篠原先生のご指導で、大きな電波暗室でマイクロ波装置を付けたドローン実験をし、遠隔に電力伝送されるのに感心しましたが、テスラに比べればまだ勉強が足りません。

Mg電池にかける男

斎藤茂吉が「日当山　妙見　安楽　塩浸　湯は湧きいでてくすしき国ぞ」と詠んだ鹿児島妙見温泉街の石原荘近くでMg電池開発のSTART UP BLUE FORCE社を立ち上げました。K氏を社長として迎え、数年間運営しました。

氏のMg電池(マグネシウム電池で主に災害用として使われている)は下図のごときA8サイズ程度の64×50mm(32CM2)程度の大きさを対象とし手作りでした。

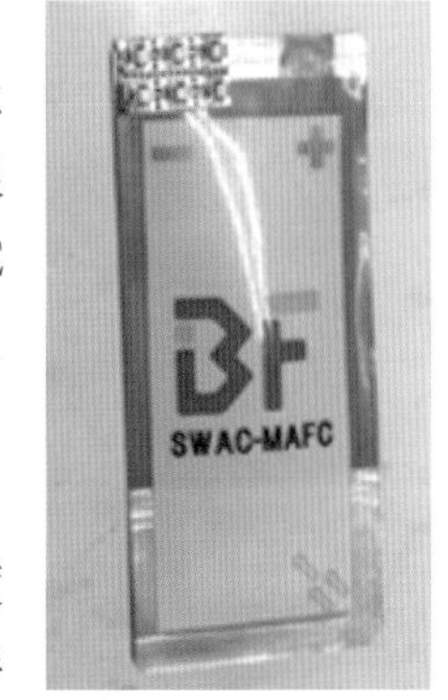

図10-5　Mgセル

1.8V、25 m A、0.045Wで48時間放電可能なので2.2Wh、1.2Ahの出力という事になります。下図のように皆で検討し、小規模な装置を購入して数個レベルの試作をしました。実際に作業をしてくれたのが女性たちで立派な仕事をしてくれましたが、残念ながら資金がショートして続きしませんでした。何とも申し訳ない結末となりました。

図10-6　BLUE FORCEのかつての姿

量産装置はすぐ数千万かかりますのでエンジェルを待ちましたが、現れませんでした。学生さんに頼んで大学で基礎実験を積み上げ、本当に自信を持ってから始める方が良かったかと反省しています。熱に浮かされた気持ちで始めたのですが、勢いでSTART UPに取り掛かるのは危険という事が骨身にしみました。

一方、マグネシウムの世界では東工大名誉教授の矢部先生がリーダです。先生は、教授時代はマスコミの寵児で、退職後もMg電池、海水淡水化によるMgの採取、Laserによる Mgの分離等Mg循環社会なる概念を構想され、本も書かれました。

図10-7　矢部式MG電池

矢部式は、大きいものはA6サイズ位（105 × 148）で500 Whの商品化を打ち出されました。K式から算定すると面積は約5倍ですので10 Wh/

枚で50枚積層すれば500 Whのバッテリが出来ることになります。キャリア、研究実績等BLUE FORCEとは比較にならぬ業績であり、指導を受けたいと思いましたが上手くいきませんでした。その専門を一生涯かけて追求している大学人を信頼せずに、技術開発は成功しがたいことを知りました。下図が弊社にてMg WORLDの説明をされている先生とその構想です。先生の夢がかなう日が来ることを祈念しております。

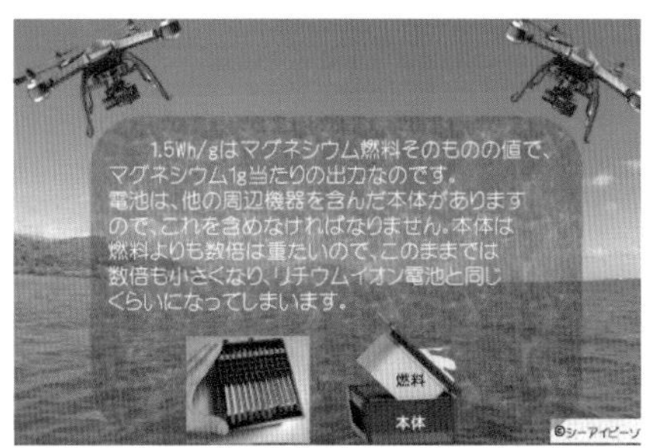

図10-8　矢部先生のMg電池(ホームページから引用)

MEM(MICRO ENERGY MANUFACTURING)の橋本社長

廃棄物処理にかける男

橋本社長は廃棄物による水素発生-発電という独創的なシステムを、10年余に渡って研究・開発。車載用の実用システムを初めて生み出されました。ビジネスは始まったばかりですが、長年の努力が実ることを期待しています。組立中の車載システムを見学しましたが、本格的な化学プラントでした。下記に示します様に鹿児島県知良町、徳島県郡賀町および山梨県山梨市に実験プラントを作り、相模原市の車載プラントに至ったわけです。廃棄物投入から半炭化とガス化プロセスを経てガスを精製する方式ですが、H2とCOが生成します。このH2ガスを燃料電池に蓄えたり発電したりします。

国内外から多くの引き合いがありましたが、億単位のプラントですので簡単に決まりません。

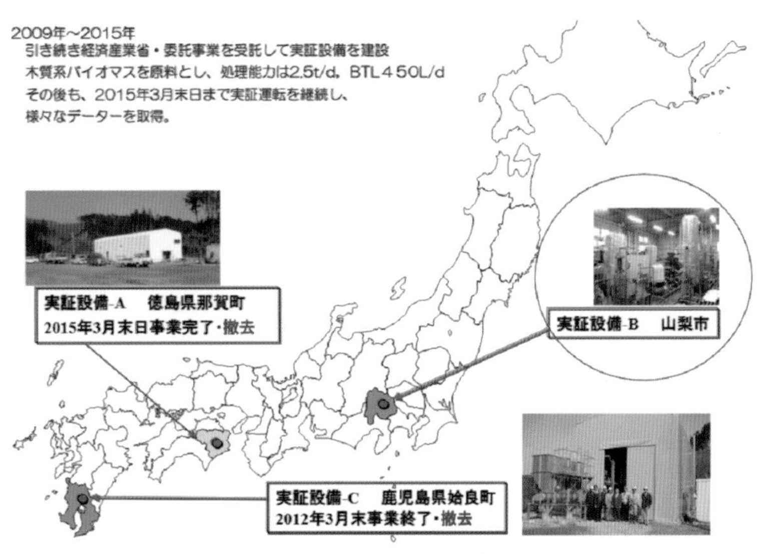

図10-9　MEM社の実験プラント

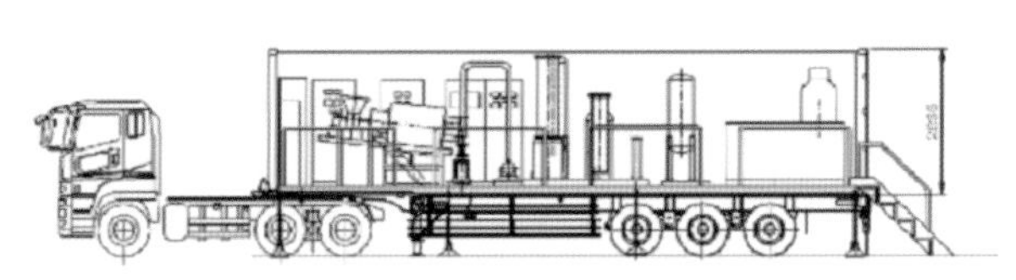

図10-10　MEMの車載プラント

北海道環境資源開発の案内で、JA北空知農業協同組合と厚沢部町(ジャガイモMAY QUEENの発祥の町)も訪問しました。北空知農協はコメ生産日本一、資産1兆円という最大の農協で、ここから補助金を得てWTEシステムの導入を模索しようとの計画です。農業残渣(牛糞)、廃プラを使用して廃熱利用、水素、電力の生成を考えています。厚沢部町は人口8000の町ですが、100億の資産を持つ豊かな山林町です。町が年金を出す、会社を作る等面白い町で、WTE導入を検討していただいています。いろいろ企画はありますが、どうしたら具体化できるか悩まざるを得ません。

現在トヨタがWTEシステムに関心を持ったのは、水素発生で燃料電池ができるからです。今回札幌市内において、水素ステーションからミライ車への給ガスを見て、水素世界がまさに現実になっていることを知りました。WTEシステムにこのFC MODULEを搭載できれば素晴らしい。従来の水素エンジンよりも汎用性があっていいのではないかと思いました。水素ガスの供給者はAW社です。FCとは水素ガスと空気中の酸素が反応して電気を生み出すのです。

矢部先生の『マグネシウム文明論』(PHP新書2010)も読みましたが、水素燃料電池に対しては批判的でした。他方、JA北空知の佐藤部長は水素時代が来る、トヨタのFCが主流なると確信しておられました。どちらが正しいか判りませんが、環境問題がいかに重要か、なぜ皆が力を入れているかが理解できました。以下の流れです。

1. 石炭を掘って燃やしました。
2. 蒸気を発生して利用　イギリスの産業革命です。
3. 石油を掘りました、ガソリン、ディーゼルエンジンが発明され車が走りました。便利だから膨大な数が生産されました。
4. 原発を作り事故を起こしました。それで環境が大事ということになってきました。地球温暖化が現実的問題となりました。この全く予想外な危機がやってきたのです。

環境にやさしい事業、考え方に転換する時が決ました。新製品を作る、新産業創出だけを考える時代ではない。これからは環境企業に変貌せねば生きて行くことは難しい。しかしこの理屈だけではSTART UPが成功するのは難しいことも事実です。

1つ考えたのが、海外でODA,JICAの事業として展開できないかということです。先日も弊社望月部長、ガーナ出身のアジマン先生(農工大)と一緒にガーナ大使館に行き、プレゼンをさせていただきました。大使によりますと、大統領が「町を美くしましょう」なる美化政策を提唱されているとのことで、強い関心を示されました。ポイ捨てでごみだらけの川を美しくするにはこの装置が良いと思います。

今までニュージーランド、ミャンマー、ベトナム、中国等、主にアジア圏から引き合いがあったのですが、橋本社長のビジネスが青井新社長に引き継がれ、新しくアフリカ大陸でこの装置が活躍する日を期待しています。

大丸製作所の磁気熱処理炉の杉田社長

この炉は磁気熱処理炉の名前が示します様に、空気吸い込み口に磁気管路を入れ反応を活性化して有機物を燻焼する炉です。杉田社長は極めて実戦的で、どんどん形にしていくところは素晴らしい。ヒータ付でレベルが一段と高くなり、水分の蒸発作用を発揮できるので魅力的な炉になりました。

煙、においがなくなりビジネス化が進展します。応用分野として原子力プラントの廃棄服の処理、病院向けの水分の多い紙おむつ処理等に好適でしょう。食品残差処理にも向くかもしれません。これから楽しみの商品です。

燻焼炉の処理速度に及ぼす磁気効果について

現在の燻焼炉には空気の取り入れ口に磁気回路が付加されており、燻焼過程において何らかの効果があるとしています。例えば空気中の酸素が磁気によって活性化され、メモリ効果によって炉内まで運ばれ燻焼を加速するといいます。燻焼過程で生じた黒化した炭化物を、活性化―酸化して完全燃焼させる効果を高める、あるいは燻焼速度を早くするという説です。

しかし廃棄物が多様で比較が困難のせいか、磁気作用についての公開資料がなく、実際に製造者の説明を聞いてもよくわかりませんでした。また製造業者によって磁束密度の強弱があり、理論的根拠もはっきりしません。いくら話を聞いても決定的な証拠は得られませんでした。事実、磁気効果はニセではないかと言われ学会でも疑われる始末です。これでは燻焼炉が信用されずうまくいきません。しかし、現に安価な設備で煙を出さずその場で廃棄物処理できる唯一の方法ということで、有望であることは事実です。わが国ではこのような分散型廃棄物処理装置が今後普及することも予想されるので、まず一番の問題の磁気効果について検証したいと考えました。

安藤顧問に以下の実験計画書を作ってもらい検討しました。

目的　燃焼によって、投入量と回収された灰との比を明確にする。

・燃焼物と燃焼によって生じた灰の成分を正確に測定する。・完全燃焼までの時間を明確にする。・吸気の際、空気を磁石の間に通すが、それによる効果を明確にする。(強力なネオジム磁石に交換し、効果を確認する。)

使用燃焼炉：(株)大丸製作所で整備中の既成小型燃焼炉使用。

燃焼実験回数：(1) 磁気通過あり、(2) 磁気通過なし　各1回。

燃焼対象物：木チップ（杉の間伐材裁断片使用。従来のデータは雑多なゴミで不明確）

投入重量：木チップ　各50kg投入。

燃焼期間投入2日目に燃焼が終わるので冷却を待ち、翌日に内部の灰を回収、計量。延べ3日の実験を2回実施。

検査項目：燃焼中の炉内中心部の温度連続計測・記録。

投入50kgに対し、残渣量重量測定。

実験を行うと、マグネットの効果が大きいことが確認できました。マグネット無しでは48時間かかり1/14 (7%程度) しか減容しませんでしたが、マグネットを入れますと30時間で1/62(2%程度) と大幅に減容しました。炉内最高温度は432℃ (402℃マグネットなし) と高くならず、なるほど燻焼というだけのことはあると納得しました。

残灰は白く細かい。神奈川工業試験所に持ち込み蛍光X線分析をしてみると、主スペクトルはCa,Fe成分でした。鉄は何かの混入で木材チップの灰成分はカルシウムでないかと思います。マグネットなしでは木炭等が残りました。

下左図のごとき杉の間伐材が右図のごとき白く灰になりました。囲炉裏では確かに白い灰が出ますが、これと似た現象がこの炉のなかで生じているという事です。それにしても磁気の効果というのはすごいと思いました。自ら実験してみてやっと磁気効果というのがあることを納得した次第です。

図10-11　磁気熱処理炉の実験

VR遠隔医療分野にかける研究者達

遠隔リハビリについての検討要請は八王子の北原国際病院の北原理事長、亀田PTから来ましたが、最初は事業として現実味が感じられませんでした。それこそVR(バーチャルリアリティー)になるのではないかと思いましたが、どうも様子が違ってきました。東大先端研稲見教授を訪問すると、学生さんが人間拡張概念を実験を通じて説明してくれました。その際電気刺激療法FES(FUNCTIONAL ELECTRICAL STIMULATION)のデモを経験しました。

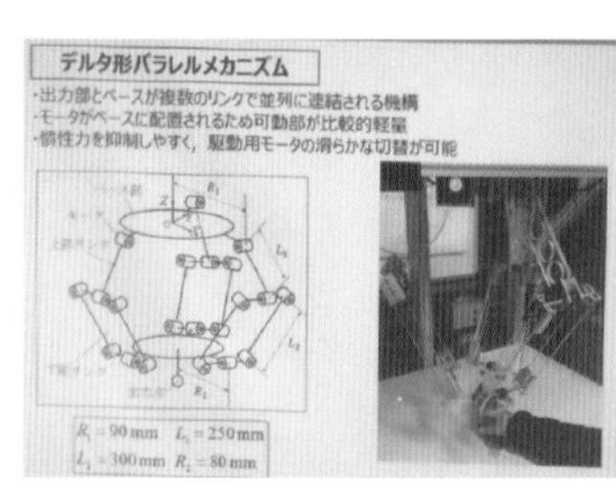

図10-12　金沢大角間キャンパス
SKILL ASIST SYSTEM
（ホームページから引用）

慶応大工学部の桂教授も訪問しましたが、そこではFESを使用した実験を見せていただきました。ひとつの実験は、右手を動かし筋電信号を検出しその信号を左手に与えて同じように動かすというものです。FESは少し違和感がありますが、痛くはなく場所を間違えなければアクチュエータのごとく手足を動かせることが判りました。だがFESは素人が簡単に取り扱えるものではなく、易々と遠隔リハビリに使えるようなものではないと思いました。

しかし、金沢大学立矢教授(高度モビリテイ研究所)のラボを見学し、パラレルメカニズムスキルアシストシステムの説明を受けると、考えが変わってきました。

これは3軸平行パラレルの1か所を自由にして、手で動かす方式です。スキルアシストが目的ですが、リハビリにも使えると思いました。例えば円筒上に綺麗な円を描くことは難しいですが、このアシストシステムを使うと可能になるとのこと。すなわち1軸を手で動かすマニュアル駆動、他の2軸は制御状態にして、円運動するように制御します。すなわち1軸だけ手で操作し他の軸でアシストするところがユニークです。

操作者は自分が練習によって上手くなったと錯覚しますが、その過程で真値を目で確認するので少しずつ補正量が減っていき、本当にスキルが向上。最終的には補正なしでも円が描けるようになるであろう、という考え方です。

これは脳を騙す最近のリハビリ法と同じ考え方ですので、リハビリにも有効と思われます。例えば脳梗塞患者さんの腕リハビリ、拘束した手指のリハビリにもこのような方法が適用できれば、難しく少し痛いFESは使う必要がなくなるでしょう。

東北大目黒教授　認知症の課題

東北大の目黒教授が、脳科学に基づく認知症対策NICHeプロジェクトを宮城県で開始。南相馬工場で保管しているNICT松井氏開発の脳磁計の説明をしたところ、ぜひ使いたいとの話に発展しました。この脳磁計は従来のタイプに比較して感度100倍で海馬の信号を検出したので、認知症解明に役立つとのことです。この技術の応用を狙ってマッハKKとマーズなるベンチャを作ることになり、NICTとの関係で松井氏にお願いすることになりました。しかし資金が集まらず、東北大移設もままならない状況です。現在この脳磁計のPRを松井氏と一緒に考えていますが、一番近いのは高齢者用免許シミュレータだと考えました。認知科学に基づく高齢者免許システムを構築できたら素晴らしいと思います。これはドライビングシミュレータでの運転で、高齢者の目の動きと呼吸、脈拍で情動変化を計測し、脳磁計で脳、海馬の動きを検知し高齢者の認知機能を判断で合理的な高齢者認知機能免許システムを検討しようというわけです。

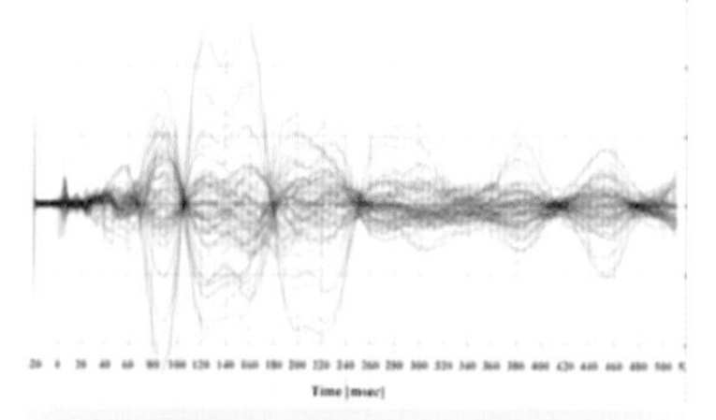

図10-13 脳磁計出力

図10-14　免許シミュレータ

被験者は頭を超伝導の円筒の中に入れる必要がありますが、これがすべてに可能かどうか検討する必要があります。しかし、海馬の応答も計測せずに認知症と定義する今の検査システムこそおかしいと思います。ぜひこの装置を活用して行きたいと思います。この新しい脳磁計を用いた脳と心の課題の展望として纏めますと、

A) 人海馬の応答の計測に基づく認知機能、記憶、学習、心の反応を含めた高次機能の解明

B) 人の認知症、アルツハイマー、うつ病、発達障害等の診断、治療技術への応用

といったところです。

独自の脳波計を開発してメガネに応用している東海光学の技術者いわく、「脳磁計は真の脳の状態が判るので素晴らしいが、超伝導維持のためのHeが高価なのがネック」。でも国レベルの研究所に設置するなら、許容できるのではないでしょうか。

図10-15　SQUID脳磁計

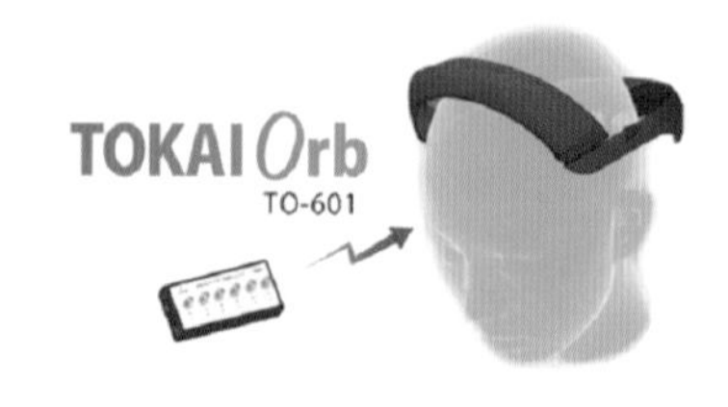

図10-16　東海光学の脳波計

元東京有明医療大学学長 本間先生　呼吸にかける

呼吸について多くの著書がある、元東京有明医療大学学長の本間先生とお会いする機会があり、呼吸について多くのことを教えていただきました。

息を吸うことは酸素を体内に入れることで生命の維持に必要です。その間は随意運動(VOLUNTARY MOVEMENT)を抑制するということです。息を吐く時は随意運動を自由にさせ抑制しません。そのため息を吐く時は、力を瞬時に発揮することも可能となります。戦う時など、短く吸い長く吐きつつ動作するのは呼吸の生理からして自然とのことです。

1.呼吸センサの試作

日立建機時代に油圧センサで付き合いのあった緑測器の岡本さんと、30年振りに偶然お会いしました。そこでフラッパ流量計(昭和計装)を紹介いただき、緑測器角度センサの実装をしていて特性が良いとの説明を受けました。空気を吹き込めば、その圧力でフラッパは変位しその角度を磁気センサで検出するという事です。早速呼吸センサを試作し、ぷーっと息を吹き込みますと、電気的に出力が得られ手軽に使えることが判りました。しかし常時の呼吸に対しては、フラッパが動かず応答しません。

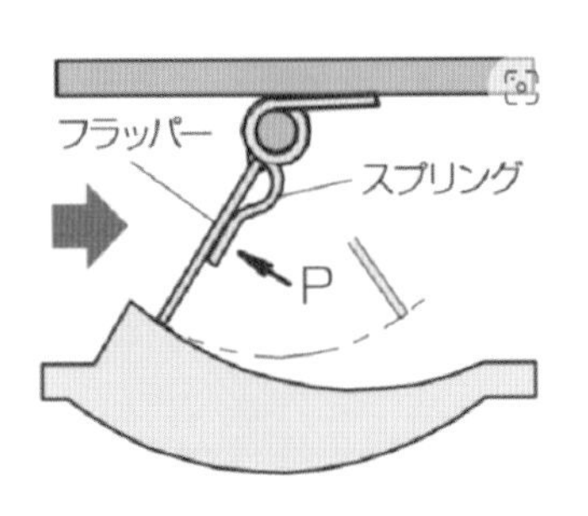

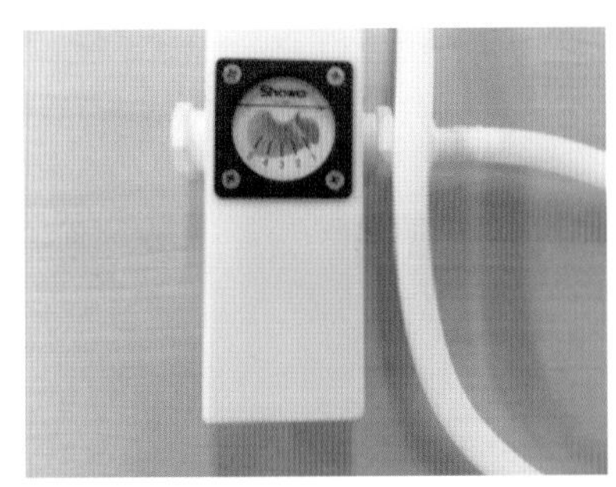

図10-17　フラッパ式呼吸センサ

タクシー運転者の健康モニタリング

日の丸自動車の関連で話があると本間先生が連絡がありました。運転手の健康状態に起因する交通事故は年間300件程度、運転者以外の死傷者が生じた事故が20件程度起こっています。運転手が意識障害等で運転不能になった報告は90件近くあり、H25年は55件だったものがH29年には89件に増加しており、運転不能状態をいち早く検知する技術開発は喫緊の課題と考えられます。

一方で、心拍数と交感神経との関係は研究も多く行われており、運転への応用も何度も試されていますが、自動車の振動により脈波がきちんと検知できず、可能性は示されているものの実現には至っていません。

呼吸と情動の研究をされている本間先生の提案で、「呼吸のリズムを測定すれば健康状態は判るので、空気圧によるセンサでの運転中の呼吸データの取得実験をしよう」ということになりました。センサは静岡市にあるMEDICAL PROJECTなる会社が開発。空気圧式シートベルトセンサを使いました。

HEALTH TECHNOLOGY社の和泉社長が以下に示しますようにプラニングし彼自ら車に乗って一部実証実験まで行いました。

有用性の検証

情動と呼吸の相関関係をリアルタイムで検知、通知する仕組みが有用であるかの検証が必要であり、運転中に「情動の不安定な状況」を意図的に作ることでバイタルデータとの関連性を検証することを実施します。

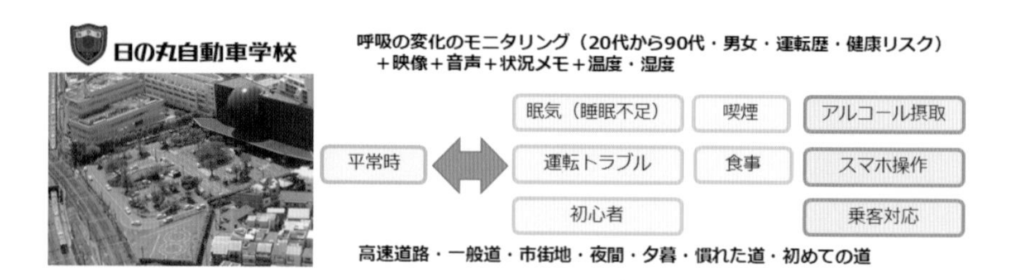

「情動の不安定な状況」

・アルコール摂取、スマホ操作、トイレ我慢、迷惑客対応、空車時

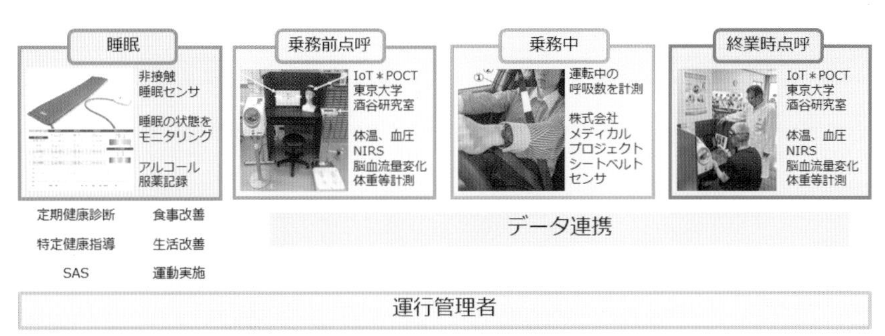

図10-18　タクシー運行管理システム

この問題は重要ですので、いずれ本格的に実施する必要があります。その場合、手間がかからないセンサ、例えばミリ波レーダ的なものが使えると良いと感じました。

美容はどこまでいくのか

図10-19はお世話になっている写真撮影のプロ、SERENDIPTY社の英社長がいろいろなフイルターとかの撮像技術を駆使して皮下組織を撮影した例です。この技術は古文書の解読に利用されていると聞きしました。

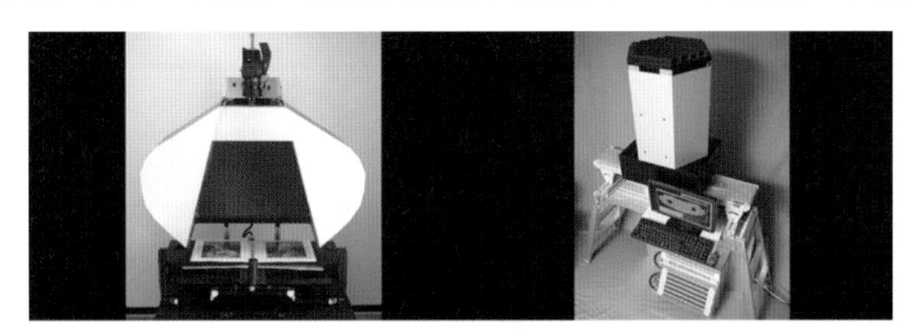

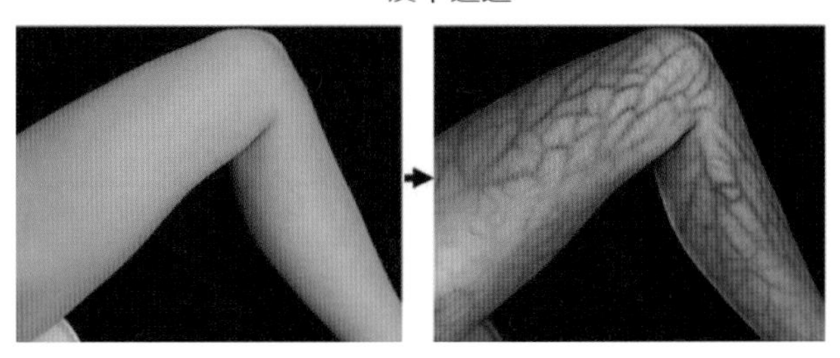

図10-19　SERENDIPTY社の皮下組織の撮影(ホームページから引用)

また顔面の解剖過程をCADで見せられて、こんなことをしてまで女性は美を求めるのかとびっくりしました。大手のITメーカが美容整形の世界まで入り込みビジネス展開を考えているのは当然かと思いました。

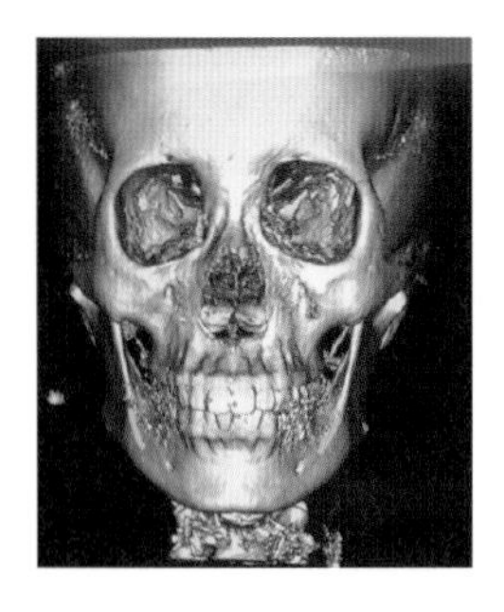
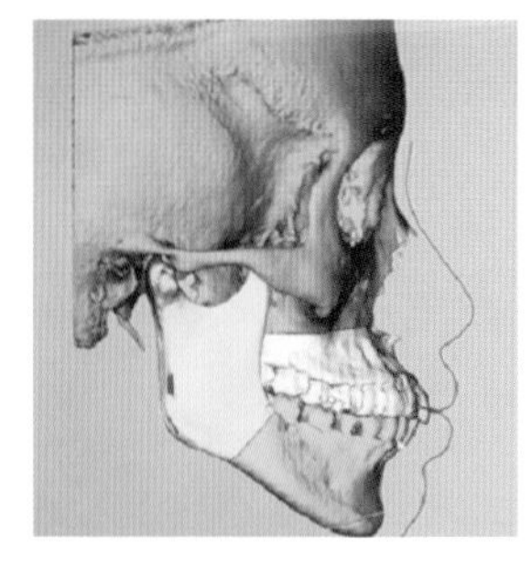
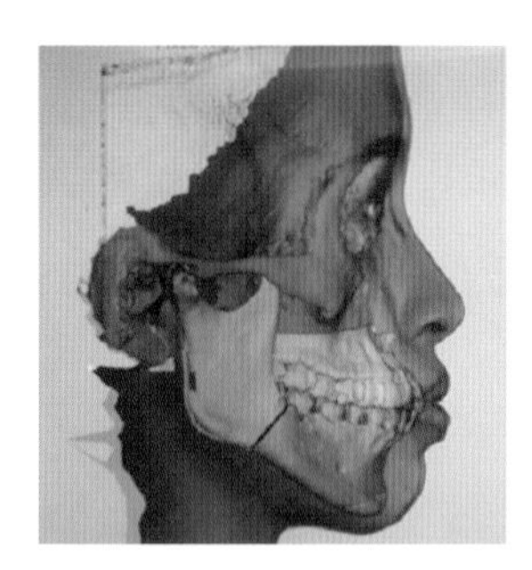

図10-20　美容整形のCAD（home pageから引用）

新潟大医学部肉眼解剖学所属の高見寿子女史から、遺体の顔を使って実際の筋とか皮膚がどうなっているか調べているとのお話を聞きました。

彼女は美容が専門で、頭のスケルトンに筋と皮膚を重ね顔を再現しようとしているとのこと。そのため顔面の皮を剝いで肉眼解剖し、その実態を研究しているのです。その真摯な姿を想像しますと、女性の美の追求も容易ではないことを知りました。

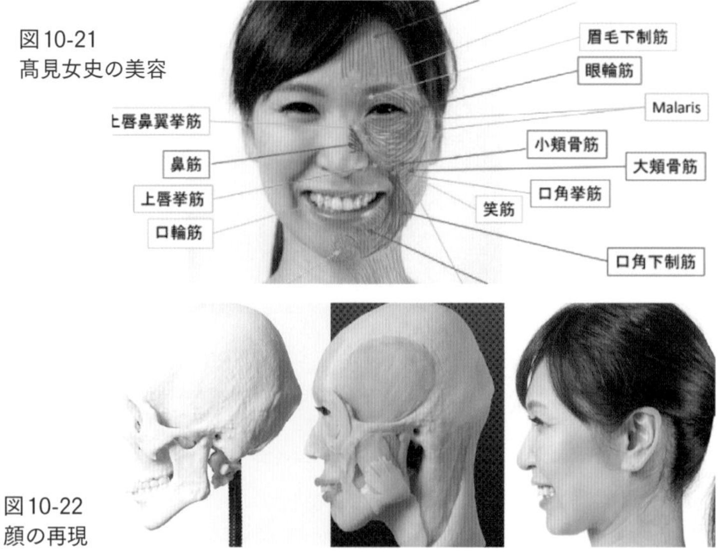

図10-21
高見女史の美容

図10-22
顔の再現

加圧マガジン（日産LIイオン電池用）の開発（2009/9/1-11/7）

悪戦苦闘の末、事業につながった例がここにあります。私と一緒に加圧マガジン開発に従事したのが資材担当の桜井リーダと開発の山根部長でした。加圧マガジンの目的は、日産初のEVであるLEAFに関係します。LEAFのLi ion 電池の金属膜内に組み込まれたLIイオンセルを均一加圧して、不要なガスを出すことです。

日産の生産技術部が対抗馬で現れ、ガス入りプラスチック構造体を提案しました。しかし、私どもの提案する三角錐TRUSS COREが圧力シートで実測したところ、圧力分布が圧倒的に均一になり採用となりました。

私の自宅近くにある城山工業が、トラスコアと称する金属製三角錐パネルを成型されるのを知り見学。また、当時京大から東工大に移ってこられた野島先生の折り紙工学なる技術を使用して、加圧装置を作ろうと計画しました。加圧装置とは右下図に示します様に、中央に多層のバッテリセル中子を挟んでねじを回して加圧するものです。

三角錐パネルの成形

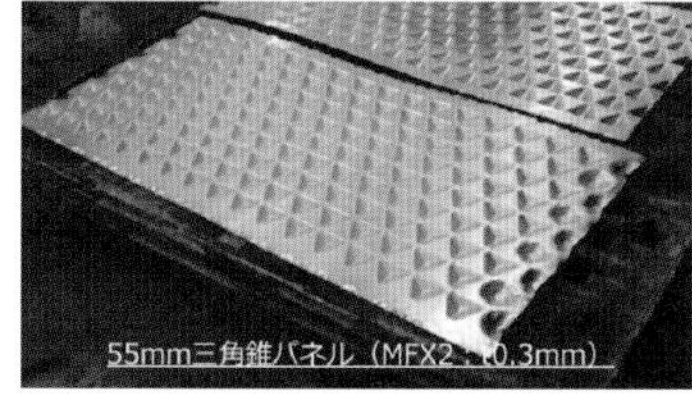

図10-23　城山工場のトラスコア

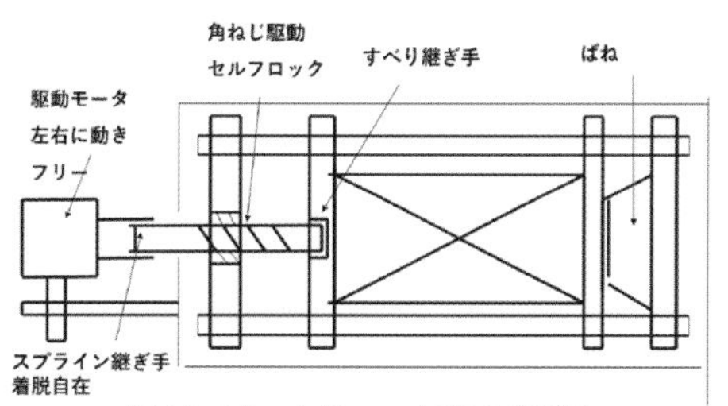

図10-24　トラスコア加圧装置

加圧マガジンの具備すべき条件と解決策

A) セル全面の均一加圧

セル表面形状の凸凹をカバーするために、中子は弾力的かつ降伏しないこと。樹脂製の薄いトラスコアを２枚使用した3角錐の最密充填構造を採用（三角錐構造でばね特性と応力分布の均一性が共に満足できます。円柱、角柱等他の構造ではばねが硬くなりすぎる等で均一加圧は難しくなります)。

B) セル加圧、徐圧過程で中子が円滑にガイド上を滑ること

トラスコアホルダに弾性ヒンジを採用。トラスコアを2枚のホルダに内蔵し、弾性ヒンジで結合したので加圧時のそりがなくなり滑りが良く

なりました。弾性変形により均一加圧できるようになりました。

開発した一体型セル中子の特長

A）面圧1.7気圧で荷重約1トン加圧。セル全面にて均一加圧を実証しました。

B）荷重2トン加圧でもトラスコは弾性変形し原点復帰します。耐久性も問題なし。

C）トラスコア式セル中子は無接着、機械的ヒンジ構造採用にて量産品質保証可能

開発した一体型セル中子は下記に示すように2枚のプラスチックホルダの薄板からなり、その間に薄いPP（POLY PROPYLENE真空成型）樹脂2枚のトラスコア1tを内蔵しています(右下図に示すホルダの中に2枚のトラスコアが入っています)。2枚のプラステックホルダは、6個の弾性ヒンジでワンタッチで結合されます。

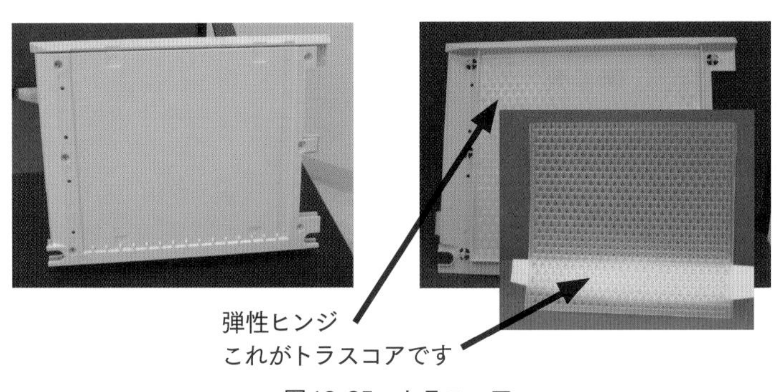

図10-25　トラスコア

セル中子—トラストコアの特長を改めて纏めますと次のように集約出来ます。

A) 三角錐構造の稜線が互いに交叉し押し合うので、横方向にバックリングせず大きな圧縮力に耐えうること。

B) トラスコアは多数の三角錐体 (783個) よりなるので、圧縮荷重をセル面に対し均一に分散すること。

C) トラスコアは薄板よりなるので、軸方向に弾性変形しセルの前面に均一加圧できること。

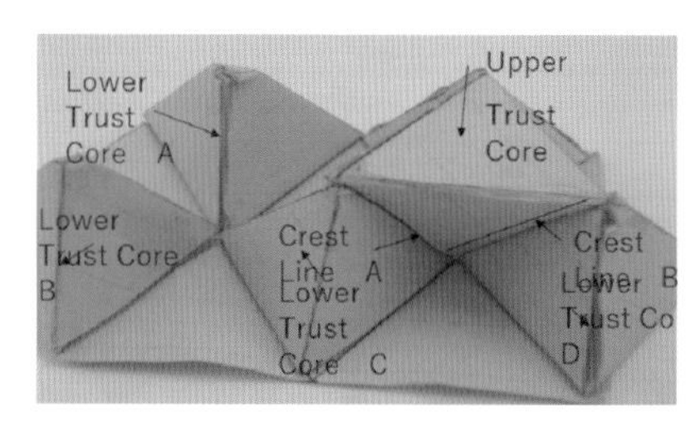

下部三角錐　実線　A方向に膨らみたい
上部三角錐　鎖線　B方向に膨らみたい
実線、鎖線が互いに押し合い横変形しない
縦方向は三角錐がずれΔ tだけ変形できる。

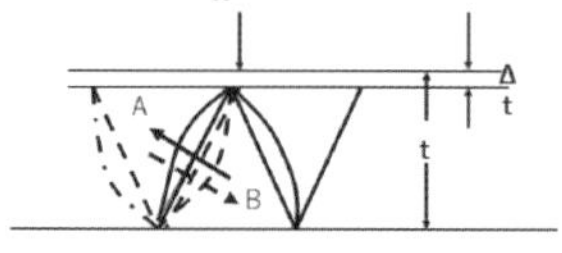

図10-26　トラスコアの力学

上図に示す様に、セル中子トラストコアの技術的特長は交叉トラス構造で軽くて強いことです。下部三角柱体 (Lower Trust Core A,B,C、D等) と上部三角柱体 (Upper Trust Core) の組み合わせがこれを生み出しているのです。

両者は3個の稜線 (Crest Line A,B等) にて拘束し、大きな圧縮荷重に耐えることが出来ます。2枚のトラスコアを重ねることにより上部と下部の構造体が互いに逆方向に変形し大荷重に対しても崩壊せず変形できるのです。実に巧妙な構成です。2トン加圧時においてて1組のトラスコア中子たわみは0.3-0.4mmにて弾性変形します。1個の三角錐の荷重は約2.5kgで、ばね定数は約6-8kg/mmとなっています。このばね効果により、トラスコアはセルの多少の凹凸を吸収して均一加圧を可能にしています。25枚のセルを内蔵できる加圧装置を製作し、日産に納入しました。

この過程で自分の会社のものづくりのパワーと能力に驚きました。下記に示します様な素晴らしい加圧装置が出来ました。プラスチック製のホルダは桜井・山根両氏の指示で弊社の福島工場で作りましたが、見事な出来栄えです。端板部はアルミダイカストですが、これも2人がメーカを見つけてきて、安く作ったとのことです。

図10-27　加圧装置

桜井氏、山根氏は派手な存在ではありませんが、顧客の信頼をうる不思議な力があります。このような人材によって企業は成り立っていることを痛感した実例です。

時代の反転回帰

どの分野でもその道に徹する人がおられます。先日、弊社の浜名工場長の案内で、福島県飯野町の丸久製作所を訪問しました。ここはアルミダイカスト鋳造の工場で、久能社長以下3-4人のベテランの方々が働いていました。小さい工場でしたが、アルミ鋳造技術、特に試作鋳造は抜群ということです。このように、仕事に生きがいを求めてこつこつ工夫をしていく職人魂が、実は日本を支えているのだと思います。

私自身は日立時代に油圧の世界に入りましたが、そこも多くの一匹狼的かつ天才的な職人群に支えられていました。

現在は電動時代ということで、油圧という流体制御技術が忘れられんばかりですが、我々は不易流行なる言葉をもう一度想起する必要があります。若者よしっかりせよと声高に言いたいのは、流行に流されるな、何が本質なのか、本物かという事です。流行に乗るのは易しい。私は日立時代、機械研究所の研究室長をして専ら油圧技術の開発をしていましたが、オールドファッションな油圧駆動なぞやめてモータ駆動を考えたらどうかと何回もTOPから言われました。だが私は油圧技術に頼る工場の支援を背景に、この要求を撥ねつけました。おかげで日立建機という油圧のメッカに入ることが出来、力をつけ新しい分野に入ることが出来ました。

大学教授時代には、油圧応用としてはアルマジロなるHST駆動の大型ロボット車両の開発と同時に、新しく電動にも参入。MOTOR BALL SCREW DRIVEなどを勉強しパラレルリンク駆動などに応用しました。

菊池時代になりますと、油圧と電動の両方の特性を合わせた150-300TONのハイブリッドプレスや、油圧駆動のOCTOPUSなどを開発しました。利口そうにいえば油圧と電動の両方の勘所を会得できたという事でしょう。

現在、月ロボットが話題になり月面開発が構想されています。月面は全くの異次元の世界で、従来技術で済むとは思えない、油圧技術こそ本命ではないか構想してくれ、との話をいただきました。ロケットでモノを運ぶのでKg/億円かかるし、地中にSPACEを作る必要があることから力がいる、そうなると油圧だという単純な発想からですが、案外真実をついているかもしれません。50年周期で電動が追われる立場になり、油圧がメジャープレーヤーに躍り出る可能性が出てきましたが、ダークエイジ(暗黒時代)にもこつこつ技術をつないでいる人、組織があるからこれが可能になるのです。アルミ鋳造がもし反転するならば、丸久製作所みたいな処が必要なのです。

ついでにもう一つ、反転の事例が出てきました。それはTRITIUMです。第2章で紹介した谷口先生の指導で新生福島機構がまとめ、弊社がものづくりを支援したTRITIUMのオンライン検出装置の世界初の開発です。このシンチレータ検出デバイスGAGGは東北大金研の吉川研究室が開発したもので、先日装置を見せていただきましたがすごいものです。

新生福島機構は福島県の中小企業経営者の集合体ですが、その彼らが福島再興のためにTRITIUMをベースにした核融合炉の研究所を作りたいと言ってきたのです。さすがにこの提案にはたまげました。教科書には「炉の中に燃料となる重水素DEUTRIUMと三重水素TRITIUMを閉じ込めるとHELIUMと中性子に変わるがその過程で核融合反応が生じ膨大なエネルギが生み出す」と書いてあります。まさに人工太陽です。提案を受け、東北大に核融合研究所の検討をお願いしました。

東日本大震災で福島第1原発の1-4号炉が水素爆発を起こした結果、アンチ原発の世論が圧倒的に強くなり、自然エネルギ回帰の風潮が強くなりました。技術者が精魂を込めて作り上げた原子炉を全部悪者にして廃炉にしろという、日立で原子力開発を見てきたものにとっては耐え難い10年でした。

その原子力災害の被害を受けた福島県の企業者が、廃炉だけでは復興はできないと悟ったのです。いくらドローンだと言ってもその産業規模はたかが知れています。新しいエネルギ産業を持ってこなければ福島復興などできないという厳然たる事実を再認識したのです。原子力回帰が生じているのです。安全な小型原子炉でも核融合炉でも良い、新しいエネルギ産業が欲しいという事です。しかし若手は原子力を知りませんので、もう一度経験者が福島に集まっていただきたいのです。

日本には流行に惑わされることなく初志貫徹し信念を貫く小栗上野介や西郷隆盛の様な人がいるのです。したがってこのような時代の反転回帰が起こっても、何とか対応していけるのではないかと思います。

おわりに

満たされざる技術

本書のはじめに触れたように、私はもともと政治家か、弁護士か、記者を志望しており、おまけに文系の人間でした。それが、行きたくもない工業高校に入って機械に触れたことをきっかけに、技術開発の道を歩むことになりました。学卒で日立の門をくぐって以来、この道ひとすじ65年です。子供の頃の想像とは、全く違う人生でしたが、不思議と悔いはありません。一つの道を歩み続けることができて、非常に幸せな一生だったと思います。

おかげさまで健康に恵まれ、また周囲の方々のサポートにも恵まれ、今も多忙な毎日です。「ものづくり」への情熱も衰えず、新しいアイデアはないか、モノになりそうな研究はないか、常にアンテナを張っています。

とはいえ、私は今年８７歳です。いくら健康だとはいっても、エネルギー、体力、気力、発想力、柔軟性etc、若者にはかないません。新しいモノをつくり出す存在。それはいつの時代も年寄りではなく、若者たちなのです。

私は東京工科大学で、十年間教鞭をとりました。だから日本の若者の素晴らしさ、ポテンシャルの高さを誰よりもよく知っています。一方で、若者の持つ能力が、十分に生かされていないとも感じます。そこで本書のおわりに、私から若者へのメッセージを綴りたいと思います。それは期待であり、願望であり、注文でもあります。すなわち本書のタイトルである、「日本の若者よ立ち上がれ」という叱咤激励にほかなりません。

まず、具体的な事例からいきましょう。

MERAMICS社のセラミックス球

人間世界のことですから、いろいろな原因で進展しない技術も存在します。例えば燃焼合成法（北海道大学秋山教授開発）でSIALON製のセラミックス球を開発されたMERAMICS社の渡辺社長のことは忘れられません。

何回もJFE(元日本鋼管)川崎にありました研究所を訪問し説明を聞き、設備がだんだん整備されていくことを感心して眺めていました。事業停止の事情は良く知りませんが、素晴らしい無潤滑ボールが無くなったことは間違いありません。材料開発の難しさはあるでしょうがこのような素晴らしい技術が消えて行くのはいかにも残念です。日本には新しい国産の技術を何とかサポートするポテンシャルが無くなってしまったのでしょうか。若者よ立ち上がり、この熱血の技術開発を継続してください。

図-1　MERAMICS社のセラミック球

T自動車のEV車

この会社は狛江市で10年前から独自の電気自動車を作っていた会社です。新しいEVを一緒に作ろうとのことでベンチャを作りました。しかし両者の意見が合わなくなり、あっという間に解消しました。これは最初から相手への理解が不十分だったからでしょう。現在のようにEVが進展してきますと、なんとも惜しかった気がします。企業同士の結合は利によりますので、大学との結合より難しいかもしれません。事実、大学とは10有余のSTART UPを持続していますが、企業同士のCASEはまだありません。この経験で企業間の連合を作るには慎重たるべきことを学びました。もう少し柔軟に対応しないと新技術はできませんがこれが我々の限界です。若者よ立ち上がり、熱血の技術開発で

図-2　高山自動車のEV

この状態を改善してください。

高エネ研　LINEAR COLLIDER

これは小川顧問在任中のことですが、高エネ研(KEK)機械工学センタ長の山中博士と国際リニアコライダのための超伝導加速空洞の製作につき協力しました。Nb材の代わりにステンレスでの空洞作成を試み精度計測をしました。空洞部は真空中にて電子ビームで溶接しますが、ボイドレスで高精度なることが必要です。参考のために三菱電機伊丹製作所を見学しました。

このリニアコライダは巨大な予算を要する国家的計画です。岩手県花巻市等が誘致していますが簡単には決まらないでしょう。重要な計画なのでぜひ実現したい。が、これを単にKEKの事業として傍観するだけでなく、国政の場にぶつけることが必要だと思います。何も決められないのが現代の日本です。若者よ立ち上がり、熱血の技術開発でこの状態を打破してください。

図-3　高エネ研の加速空洞

図-4　電子ビーム装置

日本の若者を信頼せずに誰に日本の将来を頼もうというのでしょうか。口を開けば現代の若者はだらしない、大人しいとの言葉が返ってきます。本当にそうでしょうか。そうではないでしょう。頼りにならないのはむしろ若者を鼓舞できない現代のわれわれです。問題は指導力を欠如している現代の我々世代なのです。

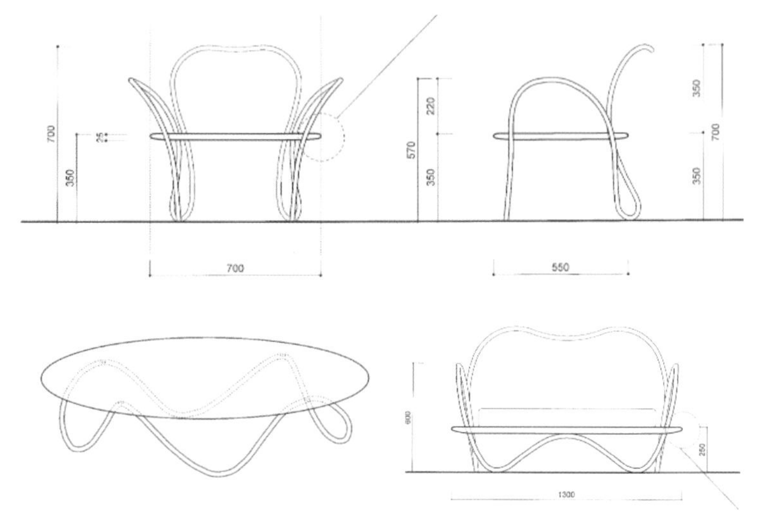

図-5　パイプ曲げの家具

もう10年前になるでしょうか、ある建築事務所から上図のごときパイプ家具ができないかとの話がありました。当時の弊社のベンダでは出力不足で出来ませんでしたが、今ではやろうと思えばできる体制となりました。しかし営業活動のせいか時代の変化か判りませんがお話がありません。

曲げ作業を実際にやってくれる技術者もいなくなりました。なんとも情けないことになってしまいました。

しかし、下記の飛び跳ねている大学時代の若々しい学生の姿を見てください。また熱心にベンダを曲げている学生の自信に満ちた姿を見てください。これら本来持っている日本の若者の力を信頼していけば、苦境を打破できるに違いないと確信します。

図-6　躍動する学生

私の東京工科大時代の学生さんを紹介する

日本の学生がいかに素晴らしいか、躍動したのかを述べたいと思います。最初いただいた研究室は狭く、とても新しい実験装置を入れる場所がありませんでした。そこで体育館の横の空いていた場所があったので、クレーンの設置を含めて2千万程度の新営をお願いしました。すると、当時の高橋学長と片柳理事長の決済を得て認可されました。嬉しかったですね。下の写真がそのクレーンの下で学生諸君とささやかなパーティをしている状況です。産学連携に力を入れ、いろいろな方の協力を得て学生教育に奮闘しました。

毎年1回産学の発表会を開き、多くの方を招待しデモをしましたが、例年100名近い参加者があったと記憶しています。その説明会において、いかに学生が張り切って説明するかは驚くほどで、このようなことはおよそ企業では経験したことがありません。学生諸君が躍動するのです。これが若者の本来の姿なのです。

社会に入ると学生は身構えて、社会に受け入れられようとして急に小さくなってしまうのです。自由で自信に満ちた、この学生時代の姿が本来の姿です。この本来の姿が社会生活でも現れれば日本社会は大いに変わると思います。

図-7　クレーンの下での学生のパーティ

下記の2枚の写真は研究室で装置を説明している学生と、皆で語り合っている学生たちですが、実に自信に満ちたいい顔をしていますね。時期と場所は異なりますが。

図-8
研究室の公開

片柳研究所の完成後、その広大なB1の場所をいただき車両関係の研究を充実させましたが、その当時の研究室の公開時の状況を下記に示します。

担当の修士2年の学生が苦心しましたフライホイール車両の装置の説明をしています。自信に満ちたその姿に日本の輝かしい未来を感じます。

図-9　研究発表会での学生の説明

多くの参加者の方々も真剣に説明を聞いていただいています。こんなふうに学生が変身するなんて誰が想像できましたか。しかしこれが本当の若者の姿なのです。すべての若者が状況さえ変わればこのようになるのです。しかし現在の日本では、本来なら我々が、若者が頑張れるような環境を与えてあげるべきですが、そのようになっていない。ですから若者もそのことを自覚して、自分が主役だと認識して立ち上がってもらいたいのです。

産学の発表会には多くの社会人が来てくださり、学生との楽しい交流が実現しました。その場で先輩諸氏からコメントをいただきましたが学生の胸に響いたでしょう。

図-10　研究発表後のパーティ

また、多くの学生と海外に出かけました。主に修士が主力でしたが、実に面白い体験でした。中国には工科大同僚のSHA先生の案内で何回も出かけました。中南大、京理工大、後には制御関係の国際会議に参加しました。

学生の真の姿、これからに期待する

常に前傾姿勢、決して後傾姿勢になるな

右の写真はは北京理工大に参加したメンバとの記念写真ですが、途中で調子の悪い学生が現れ大変でした。慣れない英語での発表のストレスに熱が出てしまったようでした。

たまにはこのようなことも起こります。しかし多くの学生はタフで堂々と発表してくれました。

右下の写真は韓国浦項工科大学に行ったのとき写真ですが、誰が学生か判りますか。実は左の2人が修士の学生ですが堂々としていて大人と区別できません。多くの学生と海外にでかけました。大学最後の年はほぼ毎月で、いつも成田かヒースロー空港にいるような状態でした。

図-11
北京理工大と浦項工科大での学生
(IMMER VORLAGE,
NUMMER RUCKLAGE)

最後に、序章でも紹介した私の座右の銘をあらためて載せたいと思います。この言葉は私の人生の指針であり、私から若者への「贈る言葉」でもあります。本書をきっかけに、一人でも多くの若者が、発明の面白さに目覚めてくれることを願ってやみません。
「常に前傾姿勢、決して後傾姿勢になるな」

そしてこの本を手に取ってくださった皆様、ありがとうございました。
感謝でいっぱいです。

一柳 健 いちりゅう けん

1936 大阪生まれ
1952 岐阜工業高等学校機械科入学
1955 名古屋大学工学部機械工学入学
1959 日立製作所入社 日立研究所に配属 主任研究員
1981 日立製作所 機械研究所へ転属 主任研究員
“アキュムレータによる油圧系の振動防止に関する研究”で
名古屋大学博士号
1986 日立建機転属 技術研究所に配属 主管研究長
電子ショベル開発に従事
1996 東京工科大学工学部 機械制御工学科教授拝命、
産学共同研究を推進し若者を鍛える
吉林大学客員教授、東工大非常勤講師、中国油圧工業会顧問
2005 菊池製作所 ものづくりメカトロ研究所 所長
研究室を移設して再度企業で研究活動を継続
2014 菊池製作所 副社長拝命
研究開発統括、産学連携推進、新事業推進

〈私の専門分野〉

油圧制御工学 産業機械油圧制御、油圧ショベルのメカトロ制御
ロボット工学 レスキュウロボット、災害ロボット、避難ロボット
福祉ロボット、医用ロボット
機械創造学 新しい機械を創造する実践学 パラレルリンク応用機械、
3次元パイプベンダ、ドローン応用工学
START UP 支援、産学官連携、新事業推進ビジネス学

〈私の表彰関係〉

日本フルードパワーシステム学会技術賞、日本機械学会賞、関東発明協会賞

ブックデザイン　塚田男女雄（ツカダデザイン）

編集　栗原直樹
久保木侑里

制作協力　株式会社菊池製作所
ART和HEART株式会社

日本の若者よ立ち上がれ
熱血発明家魂

2023年4月28日　第一刷発行

著　者　一柳 健
編集人
発行人　阿蘇品 蔵
発行所　株式会社青志社
〒107-0052 東京都港区赤坂5-5-9 赤坂スバルビル6階
(編集・営業) Tel：03-5574-8511　Fax：03-5574-8512
http://www.seishisha.co.jp/

印　刷
製　本　株式会社丸井工文社

ISBN 978-4-86590-156-6　C0095